Exprime
Tus fotos y vídeos en Internet

Constantino Martínez Aniceto

ANAYA MULTIMEDIA

Responsable Editorial:

Víctor Manuel Ruiz Calderón
Alicia Cózar Concejil

Realización de Cubierta:

Cecilia Poza Melero

Juan Ignacio Luca de Tena, 15. 28027 Madrid.
Depósito legal: M.295-2009
ISBN: 978-84-415-2353-1
Printed in Spain.
Imprime: Gráficas Muriel, S.A.

A Javier y Rogelio, dos amigos "de película".

Y a mi mujer Carmen, amiga, confidente, esposa y amante. Simplemente, te quiero.

Agradecimientos

En primer lugar y como ya va siendo habitual, a Javier Alonso, cuya labor en la creación y escritura de este libro ha sido, una vez más (y van...) imprescindible. De aquí que en el libro utilicemos el plural cuando habla el autor y, ya puestos, entre los dos queremos agradecer la colaboración, la paciencia y el esfuerzo de nuestras familias, auténticas sufridoras del proceso creativo del libro.

También queremos transmitir nuestro agradecimiento a Víctor Manuel Ruiz, quien vuelve a confiar en nosotros, y a Alicia Cózar y Susana Krahe, con las que esperamos poder seguir colaborando en el futuro.

Y por supuesto, nuestro agradecimiento a mis dos vecinas Cristina y Ruth, dos "expertas" en Messenger con las que hemos aprendido este verano en la piscina todo lo que debe saber uno para poder estar a la última en esto de estar conectado.

Por último, nuestro agradecimiento a todos nuestros amigos y, como ya viene siendo una buena costumbre en nosotros, también a nuestros enemigos. Unos y otros son los que se empeñan en "estimularnos" para ser como somos, lo que a buen seguro ha quedado reflejado en el presente libro.

Sobre el autor

Nacido en 1969, Constantino ha desarrollado, a lo largo de su carrera profesional, labores de guionista, realizador y director.

Sus primeros pasos los dio convirtiendo su afición por la fotografía en su profesión, lo que le permitió entrar en el mundo del cine y la televisión. Un par de años después ya estaba escribiendo guiones por encargo.

Como guionista ha trabajado en muy diversos y diferentes programas y series de televisión, como *Inocente, inocente*, *Esta noche cruzamos el Missisipi*, *PlayHouse Disney* o *Ponte en mi lugar*. De esta labor destaca la creación como autor de *Quítate tú pa ponerme yo*, la primera *sitcom* propiamente dicha de la historia de la televisión en España y que emitió Tele 5 en horario de *prime time*. A él también se debe la creación y escritura de la única serie de ficción hecha específicamente para público infantil *El último verano*. Como guionista también ha sido responsable del desarrollo de distintos formatos para televisión, entre los que destacan los de *El club Disney*, *La Calle Mágica* o *Cadena de Favores*, entre otros, o de documentales como los del Museo de Segovia.

Como realizador ha sido responsable de numerosas "promos", piezas de ficción, audiovisuales y algún que otro spot.

Sus últimos trabajos como director han consistido en poner en marcha el primer docurreality emitido en una televisión española: *Cadena de Favores* o el de escribir y dirigir una serie documental para televisión sobre Madrid.

En los últimos años ha alternado su labor en televisión con el de la docencia, ya sea impartiendo cursos de guión y realización o escribiendo libros como *Vídeo Digital* (ediciones 2004 y 2007) y *Vídeo Digital: Efectos especiales*, ambos editados por Anaya dentro de la colección Ocio Digital. Además tuvo la oportunidad de participar en el tercer encuentro de creadores celebrado en Barcelona en febrero de 2005 y por lo tanto en la elaboración de una serie de propuestas al gobierno sobre protección a la creación, surgidas de este encuentro.

Índice de contenidos

PRÓLOGO

INTRODUCCIÓN

CAPÍTULO 1

CAPÍTULO 2

CAPÍTULO 3

CAPÍTULO 4

CAPÍTULO 5

CAPÍTULO 6

CAPÍTULO 7

CAPÍTULO 8

CAPÍTULO 9

CAPÍTULO 10

ÍNDICE ALFABÉTICO

PRÓLOGO

Sobre el presente libro

Con este libro pretendemos proporcionarle un manual eminentemente práctico con el que de forma rápida, amena y sencilla aprenda los pasos mínimos necesarios para compartir sus fotos y vídeos con todo el que usted quiera, e incluso con más gente, sin necesidad de tener experiencia previa en dicha tarea. A lo largo del libro le mostraremos qué programas o aplicaciones le pueden resultar más útiles, la propia instalación de los programas y su detallado manejo, así como la forma de mejorar la presentación de sus trabajos.

Este libro ha sido escrito por personas que en su día a día realizan tareas relacionadas con la comunicación, que intentan trasmitir su experiencia, por lo que el enfoque es eminentemente práctico y esperamos que ameno.

Sobre el contenido del libro en concreto queremos hacer algunas puntualizaciones:

- Este libro no es un manual de ningún programa en concreto. Encontrará en las librerías extensísimos manuales sobre cada una de las aplicaciones que aquí tratamos, pero créanos si le decimos que no necesita leer tanto. En este libro hemos intentado centrarnos en el proceso de "compartir" nuestras imágenes con todo aquel con el que queramos, por lo que le mostraremos única y exclusivamente las opciones que realmente necesitará de cada programa. Utilizando varios de ellos, gratuitos o al menos muy baratos, aclarando sus ventajas e inconvenientes, para que el lector pueda elegir el que más se ajuste a sus necesidades.
- Muchos de los programas, especialmente los gratuitos, sólo están disponibles en inglés aunque, como podrá comprobar, esta tendencia está cambiando y todo lo que tiene que ver con Internet está siendo traducido cada vez más. De hecho, durante la preparación de este libro se puso en marcha la versión en español de Flickr. Con todo, en muchas ocasiones representa un problema la traducción de algunos términos técnicos, espero que tanto usted como Cervantes nos perdonen los desatinos.
- Todos los programas y aplicaciones aquí mostrados funcionan en PC, bajo Windows Vista, que es el sistema operativo que utilizamos nosotros hoy por hoy. Pero al ser en su mayoría aplicaciones que utilizan como base Internet, su funcionamiento bajo Windows XP o en plataformas Mac de Apple está más que asegurada y no difieren en prácticamente casi nada a la hora de manejarlos.
- Los programas que vamos a utilizar son TMPG-Encoder DVD Author para tratar los vídeos, Messenger de Microsoft por ser el más extendido, aunque puede encontrar distintas versiones como la de Yahoo! y Picasa y Flickr o YouTube y Google

Video en donde todos ellos tienen funciones iguales o muy similares con los que con cualquiera de ellos podrá compartir sus imágenes.

El contenido del libro

La estructura del libro es muy sencilla y aunque le podemos asegurar que no hemos parado de darle vueltas hasta finalizar su escritura, creemos que es la idónea para avanzar de manera fácil y amena. Aún así, al tratarse de un libro puramente práctico, puede utilizarlo como referencia y comenzar su lectura por el capítulo que contenga la tarea que le interese. Hemos dividido el libro en tres partes claramente diferenciadas:

La primera podría llamarse algo así como volcando nuestras imágenes al ordenador. Veremos cómo descargar las fotos de nuestra cámara digital al disco duro o cómo digitalizar todo nuestro material "analógico": fotos en papel, diapositivas y negativos para posteriormente poder tratarlos como una imagen digital cualquiera. Y por último, cómo pasar nuestros vídeos de la cinta de vídeo a nuestro PC.

La segunda parte sería la de sacar nuestras imágenes del ordenador para empezar a compartirlas en los denominados "formatos rígidos". A lo largo de estos capítulos veremos cómo pasar a papel las fotos digitales o nuestras fotos y vídeos a CD o DVD, a dispositivos móviles como teléfonos, PDA o consolas PSP.

La tercera y última parte la conforman los capítulos en donde utilizaremos Internet como vehículo para compartir nuestras imágenes con terceros. Veremos cómo utilizar las distintas páginas Web o aplicaciones que han ido surgiendo con fuerza en los últimos tiempos (básicamente en el último año), llamadas a convertirse algunas de ellas en auténticos fenómenos sociales, como son Messenger entre los adolescentes o YouTube, que es ya todo un fenómeno mediático.

Los programas

¿Piensa que necesita gastar mucho dinero para poder hacer llegar sus imágenes al último rincón de este mundo? No se engañe, puede gastar una fortuna montando su propia red de telecomunicaciones o utilizar las herramientas que la red pone a su disposición. Lo que no le quedará más remedio es pagar la cuota mensual de su ADSL, a no ser que haya aprendido a engancharse a la línea de su vecino.

Utilizaremos aplicaciones que vienen incluidas con Windows, tales como Messenger o programas que se instalan de forma gratuita en nuestro ordenador como Picasa. Otros no necesitan instalación alguna ya que su utilización es íntegramente a través de páginas Web, como Flickr o YouTube.

Comprobará que todos los programas comparten funciones muy parecidas y cuando no es así se nutren de terceros con los que completar su oferta. En estos momentos hay una encarnecida batalla por controlar los canales por los que viaja la información y esto ha llevado a que hoy por hoy haya tres compañías que se reparten el pastel de la misma, que son Microsoft, Google y Yahoo!. En contra de lo que opinan muchos, nosotros pensamos que, hoy por hoy, está resultando ventajoso para el consumidor, ya que dicha batalla lleva a que cada vez contemos con más espacio virtual para almacenar todo lo que queramos. No nos vamos a meter en discusiones filosóficas sobre qué hacen o harán estos grandes emporios con todo ello y nos limitaremos a disfrutarlo hasta donde nos dejen.

Sólo utilizaremos dos programas no gratuitos, que son Nero y TMPGEnc DVD Author. Existen alternativas gratuitas a estos programas que les iremos señalando, pero son dos suites muy completas y asequibles que le recomendamos.

Como referencias para descargar programas gratuitos de fotografía y vídeo, le sugerimos que visite el foro www.mundodivx.com, en español o, en inglés, www.videohelp.com, que cuenta con una de las más extensas librerías de programas de imagen que pueda encontrar.

El tema de compartir imágenes puede resultar todo lo amplio que uno desee y este libro tiene unas limitaciones muy claras en cuanto al número de hojas máximo que el editor puede permitirse, por lo que no vamos a extendernos hasta el más mínimo detalle en la utilización de todas y cada una de las herramientas que llevan consigo cada programa, ni vamos a entrar en cómo manipular, retocar y crear estupendos fotomontajes con sus fotos. Tampoco abordaremos la edición de vídeo, cómo incluir títulos de crédito o llenarlos de fabulosos efectos especiales. Aquí aprenderá a compartir sus fotos y vídeos en su aspecto final (o inicial, como desee), lo que no quiere decir que en un momento dado no le mostremos alguna herramienta más propia de programas de retoque fotográfico o de edición de vídeo a modo de curiosidad. Si quiere profundizar más en estos temas, Anaya tiene publicados excelentes libros, como son *Manipula tus fotografías digitales con Photoshop CS3* de Scott Kelby o *Vídeo Digital edición 2007* y *Vídeo Digital efectos especiales* de..., ¿adivinan quién?

Aun así resulta difícil encontrar un equilibrio entre proporcionar las recetas propias de una revista de divulgación o escribir un manual de 500 páginas. En este (¡nuestro cuarto libro ya!) esperamos haber logrado un compromiso razonable. Y llegados a este punto y dado el estado de nuestras hipotecas, déjenos agradecerle la adquisición de este libro, esperando de todo corazón que le resulte entretenido, ameno y sobre todo útil.

INTRODUCCIÓN

Sus últimas vacaciones han sido increíbles y en su mano (más bien cámara) está el que sean inolvidables. Ha vuelto de la playa y se ha traído más de 400 fotos y 15 horas de vídeo. No hay duda de que está hecho todo un artista. Lástima que el mundo aún no se ha enterado y que muchos de sus amigos no están dispuestos a pasar otra de esas larguísimas tardes de lluvia sentados en el salón de su casa.

Atrás quedaron las sesiones de diapositivas, de vídeos frente al televisor (no digamos ya frente a la pantalla del Super 8) o de esas meriendas en las que no paraban de pasar por encima de nuestros cogotes enormes álbumes de fotos.

Figura I.1. Una colección de fotos cualquiera.

Puede que sus familiares y amigos hayan sido invadidos por una extraña y contagiosa enfermedad que les impida visitarle en los próximos cuatro fines de semana, o que algunos de ellos hayan decidido cambiar de residencia e instalarse en las antípodas durante una larga temporada..., ¿va eso a impedirles que disfruten de tales imágenes? Una vez más la tecnología es su mejor aliado.

Puede hacerse con una unidad móvil con una antena para emisiones vía satélite para retransmitir sus vacaciones, lo que le costaría unos 7.000 euros la jornada, a lo que habría que añadir el precio de cada minuto de utilización del satélite. O, alternativamente, puede utilizar la inmensa cantidad de programas gratuitos (o en su defecto mucho más baratos que la unidad móvil) con los que hacer llegar sus vacaciones hasta el último de sus familiares y amigos.

En este libro podrá encontrar un montón de soluciones y sugerencias para hacerlo posible y que, de paso, el hecho de ver sus vacaciones no se convierta en un suplicio, sino muy al contrario en una experiencia de lo más gratificante.

Como final a este prólogo nos gustaría contar de dónde nos surgió la idea de escribir este libro y por qué creemos que le puede resultar útil. La idea se fraguó tras tener que solucionar dos cuestiones que se nos plantearon en un corto espacio de tiempo, con personas de muy diversa índole.

Figura I.2. Fotos de las últimas vacaciones.

La primera nos vino por parte de Pilar, tía de mi mujer Carmen y que acaba de jubilarse. Viendo que ahora tenía todo el tiempo del mundo para empezar a emprender nuevas actividades y al mismo tiempo ampliar conocimientos de sus aficiones de siempre, decidió comprarse una cámara de fotos digital, una cámara de vídeo digital Mini DV y un ordenador portátil con los que inmortalizar a sus nietos. Como observará, cada uno de los aparatos lleva unido el término "Digital" por lo que en muchas cosas no le ha quedado más remedio que empezar a aprenderlo todo desde cero o uno.

Fue ella quien, tras leerse uno de nuestros libros sobre vídeo, empezó a plantearnos muy diversas dudas y cuestiones. La primera fue la de los álbumes fotográficos. Otra, la de cómo hacerle llegar a uno de sus hijos, que ahora vive en Méjico, todo el material que iba produciendo. Así que nos pusimos a investigar y, tengo que decir que gracias a Pilar, descubrimos Picasa.

Y en este punto nos surgió la segunda cuestión a solucionar. Se acercaba el final de las clases de nuestros hijos, con la tradicional fiesta/actuación de fin de curso en donde cientos de padres (o como se dice ahora de padres y madres) armados hasta los dientes con cámaras fotográficas, casi todas ellas digitales y de vídeo, luchan codo con codo por inmortalizar a sus retoños.

No sé el suyo, pero el mío ha sido un año lleno de cumpleaños y eventos lúdico-deportivo-festivos en donde, el que más o el que menos, ha logrado hacerse con una buena remesa de fotos de dicho evento, tras los cuales siempre nos hemos despedido con la firme promesa de: "No te preocupes que yo te hago una copia de las fotos" o "Ya te mandaré las fotos". Seguramente muchos de estos niños terminen sus días de colegio yendo a la universidad sin haber visto foto alguna de su quinto, sexto o séptimo cumpleaños. En nuestro caso teníamos una serie de amigos que habían decidido no esperar a selectividad para abandonarnos..., y con ellos sus hijos y las cientos de fotos que nos debían de todos y cada uno de los eventos "sociales" de nuestros hijos.

Surgió la idea de subir todas las fotos a la Red, pero de forma segura, es decir, que las fotos de nuestros niños no inundasen la Red y pudieran ser utilizadas posteriormente para Spam con falsos niños desaparecidos. Creamos un álbum con las fotos que habíamos ido recopilando y nos dedicamos a enviar invitaciones a aquellos que nos lo solicitaban para que pudieran entrar en la zona restringida del álbum. Pronto se corrió la voz y, esta mal que lo digamos nosotros, tal fue el éxito, que nos encontramos con decenas de direcciones de correo a las que mandar invitaciones. La solución fue abrir una cuenta común (álbum) en donde todo el mundo tuviera derechos de administrador, con su nombre de usuario y contraseña, para que todo el que quisiera pudiera no sólo ver las fotos y descargárselas, sino también ir añadiendo sus propias fotografías.

No sólo compartimos todas nuestras fotos. Subirlas a la Red nos ha permitido tener un lugar donde poder acceder desde cualquier punto del mundo para echar un vistazo a las fotos de nuestros hijos. O que ellos mismos puedan pasar un buen rato recordando cada uno de esos momentos del curso. Quien sabe si accederán a él dentro de 20 años para encontrar un lugar común lleno de (más o menos) buenos recuerdos.

Y esto es lo que esperamos que usted encuentre en este libro. Que aprenda lo suficiente para poder subir y compartir sus fotos y vídeos con todo aquél que quiera, a través del vehículo que mejor se adapte a sus necesidades y/o características y que, sobre todo, usted y los suyos se diviertan con ello.

Figura I.3. Actuación fiesta colegio.

CAPÍTULO 1

DE LA CÁMARA AL ORDENADOR

Descargue sus fotos al ordenador

Puede parecer de "Perogrullo" pero lo primero que deberemos hacer para poder compartir nuestras fotos es sacarlas de la cámara y volcarlas en el ordenador.

Conexión de la cámara al ordenador

Como todo en la vida (y la informática no iba a ser menos) nos encontraremos con que para pasar o "volcar" nuestras fotos al ordenador dispondremos de varias opciones.

Figura 1.1. Cámara de fotos digital Réflex de Canon.

En primer lugar podemos optar por sacar la tarjeta de memoria de la cámara e introducirla en el lector de tarjetas del ordenador o, en su defecto, en un lector de tarjetas portátil o adaptador. O bien podemos optar por conectar la cámara a nuestro PC a través de su puerto USB. La mayoría de las cámaras tienen un puerto USB estándar mediante el que conectarlas al ordenador. Si nuestra cámara tiene un conector no estándar, necesitaremos que el cable nos lo proporcione el fabricante.

Figura 1.2. Conexiones USB.

En Windows Vista nos reconocerá nuestra cámara como si fuera un disco extraíble, en Windows XP reconocerá e instalará, si fuera necesario, los *drivers* que la cámara necesita para su funcionamiento. Sólo si su cámara es muy moderna o demasiado antigua, es posible que le pida que lo instale desde el disco de instalación que suele venir junto a las cámaras.

El asistente de descarga de imágenes de Windows XP

Como en Windows Vista el proceso es muy sencillo, vamos a centrarnos en la descarga de imágenes para los usuarios de Windows XP. Una vez que Windows ha detectado nuestra cámara, se desplegará ante nosotros un menú en donde se nos dan distintas opciones de programas entre los que podremos elegir para empezar a trabajar.

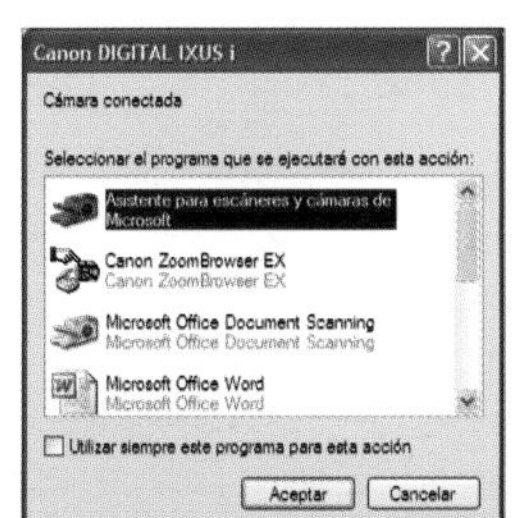

Figura 1.3. A la derecha opciones a elegir en Windows Vista y a la izquierda en Windows XP.

El primer programa que nos ofrecerá es, cómo no, el asistente de descarga de imágenes del propio Windows. En la ventana aparecerán también los demás programas de tratamiento de imágenes que tengamos instalados, como Photoshop, Picasa o cualquiera de los que suelen traer como complemento las cámaras digitales. Pero no necesitamos esos programas: para descargar las imágenes al ordenador sin gastar ni un euro en software, escogeremos la opción **Asistente para escáneres y cámaras de Microsoft.**

NOTA

El CD que acompaña a la cámara suele incluir algún programa para gestionar sus álbumes de fotos, como puede ser el ZoomBrowser EX de Canon, que le permite descargar las imágenes que elija, girarlas o hacer diversos ajustes sobre ellas.

Figura 1.4. Panel de captura Canon ZoomBrowser.

Puede utilizar estos programas para descargar las imágenes, si bien no son estrictamente necesarios, pues le indicaremos cómo hacerlo directamente desde Windows, con la ventaja añadida de que estas técnicas funcionarán en cualquier ordenador.

Una vez que hemos seleccionado el asistente para escáneres y cámaras de Microsoft, éste establecerá una comunicación con la cámara con el fin de obtener información sobre la misma.

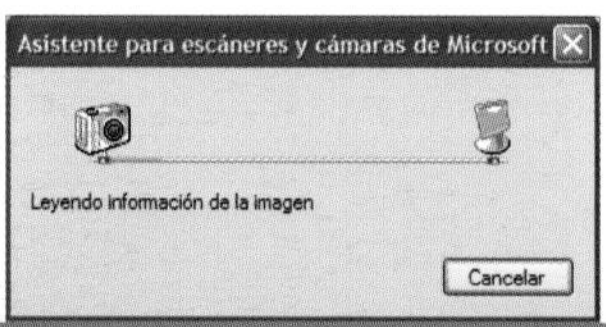

Figura 1.5. El asistente de Windows estableciendo conexión con nuestra cámara.

Una vez la conexión se establece, el asistente nos irá guiando paso a paso por el proceso de descarga. La figura muestra la ventana de presentación, en la que pulsaremos el botón **Siguiente**.

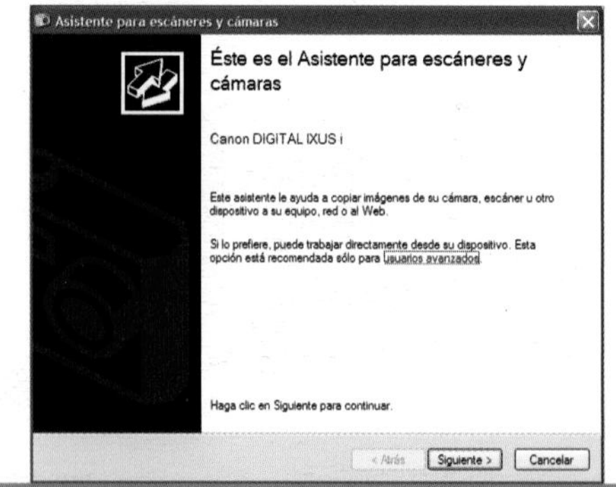

Figura 1.6. Windows ha detectado nuestra cámara.

El asistente nos mostrará las fotos que tiene nuestra cámara. Desmarcamos las que no queramos descargar y pulsamos el botón **Siguiente**. En la misma ventana se nos muestran otros botones que nos permiten girar las fotografías, pero le recomendamos que NO LOS USE, porque cada vez que gira una foto en Windows pierde algo de calidad.

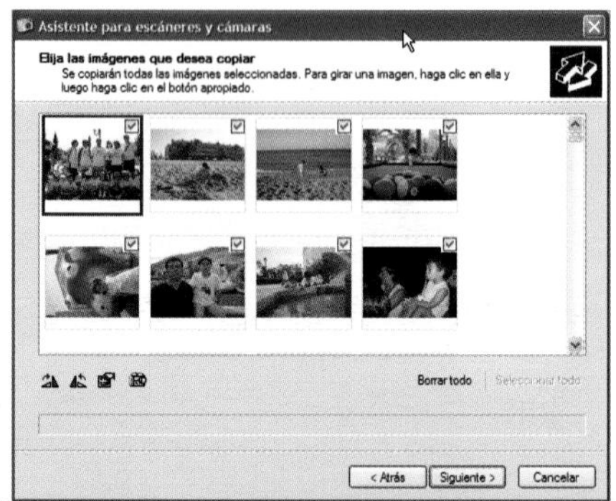

Figura 1.7. Panel de selección de descarga del asistente.

El siguiente paso será decidir en qué carpeta del disco vamos a descargar las imágenes. Damos un nombre al "carrete" en el ejemplo "vacaciones" y el asistente nos colocará las fotos en una carpeta con dicho nombre dentro de la carpeta **Imágenes**. Si marcamos la casilla inferior, una vez copiadas las fotos se eliminarán de la cámara, dejando sitio libre para nuevas fotos.

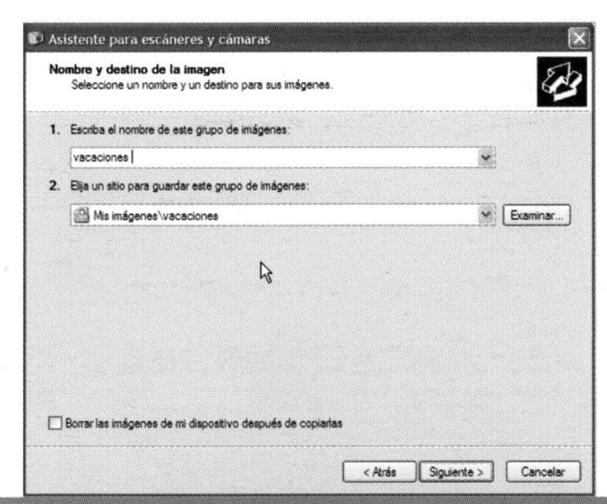

Figura 1.8. Seleccionando el destino de nuestra descarga.

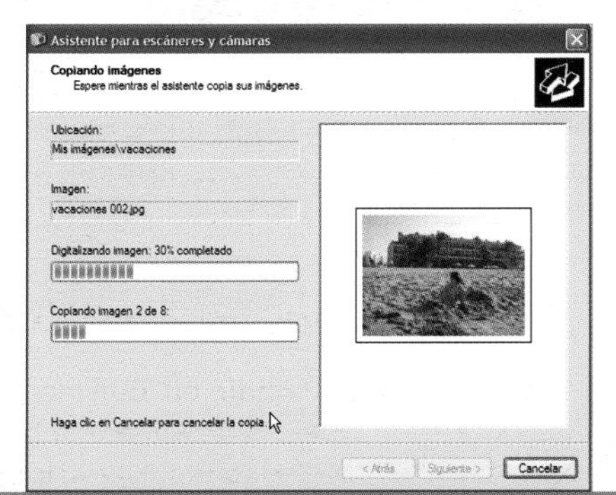

Figura 1.9. Proceso de descarga de cada una de las imágenes.

Una vez finalizada la descarga, el asistente nos pregunta qué hacer con ellas. Por el momento, finalizamos el asistente con la tranquilidad de que las fotos ya se encuentran en nuestro disco duro.

Copiando las fotos desde la tarjeta

Si todo esto le parece muy complicado, laborioso o lento, siempre tendrá la opción de sacar la tarjeta de memoria de su cámara (si es que la tiene) e introducirla directamente en su ordenador o en un adaptador lector de tarjetas. Su ordenador la detectará como un dispositivo de almacenamiento extraíble por el que usted podrá navegar, copiar y arrastrar los archivos de sus imágenes a las carpetas del disco duro que desee.

Figura 1.10. Tarjeta de memoria SD.

El problema es que muchos usuarios no se manejan bien con las carpetas de Windows y el proceso de copia. Si es su caso, a continuación le vamos a mostrar en detalle esta operación. Si navegar por las carpetas de Windows no le supone un problema, sáltese el resto del apartado.

Figura 1.11. Lector de tarjetas con conexión USB.

El procedimiento que vamos a mostrarle es general y le valdrá para copiar fotos, documentos o cualquier otra cosa. Haga doble clic en el icono **Equipo** del escritorio, o bien acceda al menú Iniciar y elija la opción Equipo. Lo que se muestra es una lista de los dispositivos de almacenamiento de información de que dispone el ordenador.

Estos dispositivos son de varios tipos y se reconocen por el icono. Pueden ser discos duros, lectores de CD y DVD, lápices de memoria o *pendrives*, lectores de tarjetas o cámaras de fotos conectadas al ordenador. Al final se muestra una carpeta especial: **Documentos**. Según en qué casos, la carpeta **Documentos** aparece como **Documentos** en *XXXX*, donde xxxx es el nombre de usuario que utiliza el ordenador.

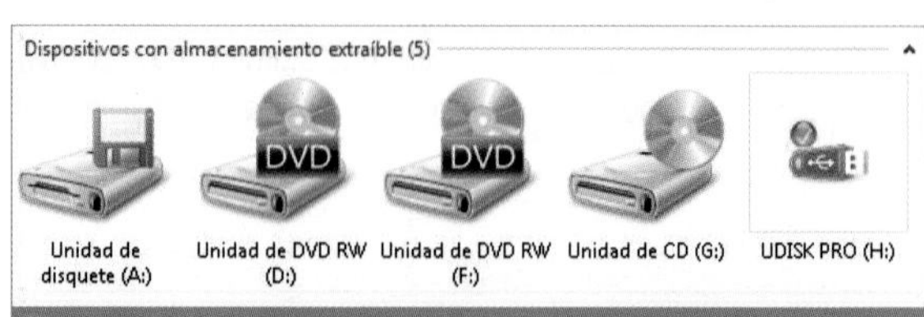

Figura 1.12. La ventana Equipo con una disquetera, dos unidades DVD y un lector de tarjetas.

Todos los dispositivos almacenan lo mismo: carpetas y archivos. Un archivo es cualquier documento que guardamos en el ordenador: una foto, un vídeo, un documento de texto, una hoja de cálculo, etc. Una carpeta puede contener archivos y otras carpetas, que a su vez pueden contener archivos y carpetas y así sucesivamente. Desde el punto de vista del PC, un disco duro o una tarjeta de memoria son una carpeta. La carpeta **Documentos** se encuentra físicamente en el disco duro principal (que se llama C:) pero, por ser la más utilizada, se muestra directamente en la ventana Equipo.

Para ver el contenido de una carpeta hacemos doble clic sobre el icono, lo que equivale a "abrirla".

Figura 1.13. Contenido de una carpeta.

En el ejemplo, vemos que en la carpeta **Documentos** se encuentran otras dos carpetas, un documento de texto y una foto.

Windows puede mostrarnos el contenido de una carpeta de varias formas diferentes: como una lista, como iconos pequeños o grandes o en una tira de imágenes. Para cambiar de un formato a otro haga clic sobre la opción de menú Vistas. Si escoge la opción Iconos grandes verá algo como lo siguiente (véase la figura 1.14).

Si ha "entrado" en una carpeta y quiere volver a la que la contenía, puede hacerlo pulsando el botón:

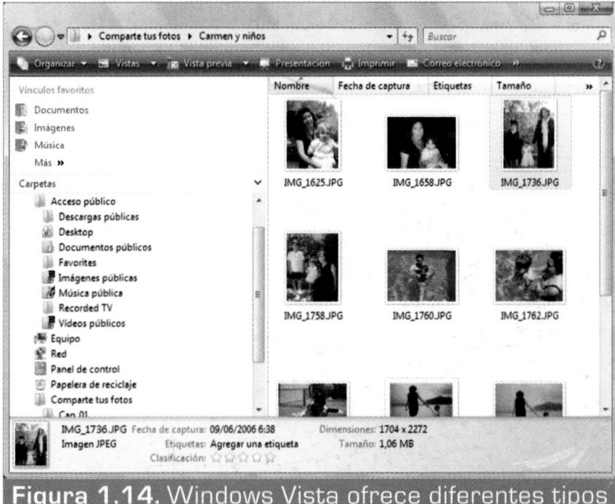

Figura 1.14. Windows Vista ofrece diferentes tipos de vistas de los archivos e imágenes.

Pruebe a entrar y salir de las carpetas hasta que se familiarice con estas técnicas.

Para copiar las fotos de la tarjeta al disco duro del ordenador, el proceso es muy sencillo. Abrimos la ventana Equipo y hacemos doble clic en el icono de la tarjeta de memoria, lo que nos mostrará su contenido. Normalmente, lo primero que encontramos son unas carpetas. Las abrimos sucesivamente hasta que encontramos las fotos. Por ejemplo, en una cámara Canon tendrá que abrir las carpetas que se indica en la figura.

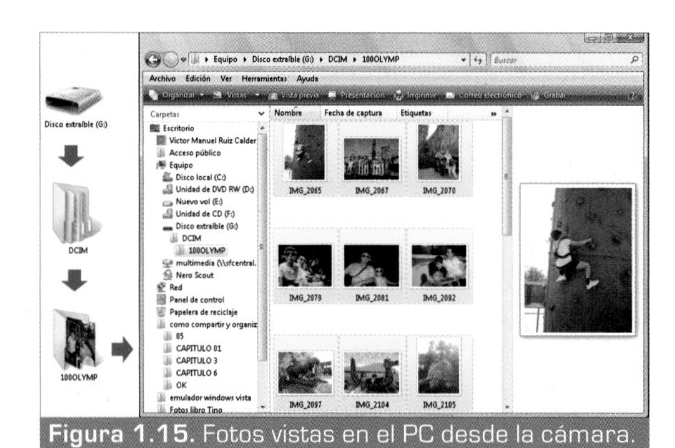

Figura 1.15. Fotos vistas en el PC desde la cámara.

Una vez tengamos las fotos, elegimos la opción de menú Edición>Seleccionar todo, con lo que se marcan las fotografías. A continuación elegimos Edición>Copiar. Abrimos una segunda ventana Equipo, en la que hacemos doble clic sobre la carpeta **Documentos**, luego sobre **Imágenes** y una vez estemos viendo su contenido, elegimos la opción de menú Archivo>Nuevo>Carpeta, lo que crea una carpeta a la que daremos un nombre, por ejemplo, **Fotos verano**. Abrimos esta carpeta haciendo doble clic sobre ella y veremos que está vacía. Elegimos la opción de menú Edición>Pegar, lo que copiará las imágenes a esta carpeta.

Sencillo, ¿verdad? Quizás la primera vez no tanto, pero piense que dominar las carpetas de Windows y el procedimiento de copiar y pegar es la diferencia entre saber manejarse con un ordenador o no hacerlo. Merece la pena que se familiarice con esto.

Escanee sus fotos

Hasta aquí, cómo hacerse con sus fotografías digitales, pero, ¿qué pasa si usted es de los que todavía no se ha dejado seducir por los "encantos" de la fotografía digital y sigue "tirando" varios rollos cada verano? O si simplemente es de los que, convencidos por las excelencias del mundo digital, no se resigna a que esa enorme colección de fotos de bodas, bautizos y comuniones con las que ha llenado un innumerable número de álbumes, acumule polvo y pierda color con el paso del tiempo.

Sea cual sea su caso no le quedara más remedio que hacerse con un escáner. Lo crea o no, es una herramienta útil y necesaria donde las haya y que en unos años ha bajado vertiginosamente de precio, pudiendo adquirirse en estos momentos un escáner preparado para negativos y diapositivas a una resolución óptica de 4.800 ppp, por menos de 100 euros.

Cada marca y modelo de escáner suele traer su propio software, aunque dicho panel de opciones bien podría parecerse al que se ilustra en la figura 1.17.

Figura 1.16. Imagen de un escáner.

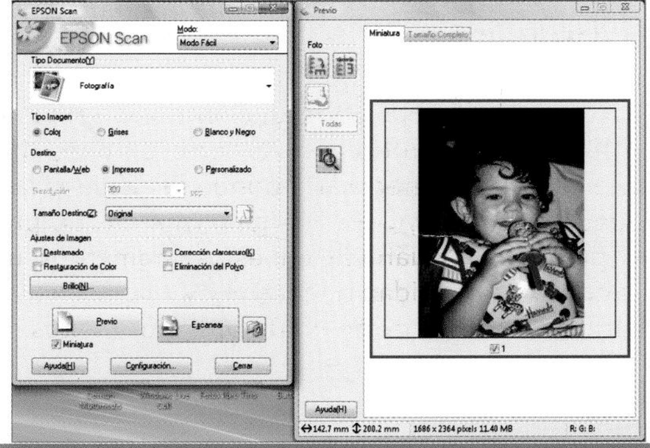

Figura 1.17. Imagen del panel de control de un escáner.

En él podrá variar la calidad con la que quiere escanear su imagen (a mayor calidad, mayor tamaño del archivo resultante), la escala, el color, el brillo, tipo de imagen (foto, negativo, diapositiva, hoja de revista, documento de papel, etc.).

Los escáneres tienen su propio lenguaje y verá términos como resolución, rango dinámico, profundidad de color u OCR.

- OCR es un programa que, para el caso que nos ocupa, no nos va a servir de nada. Es el acrónimo de *Optical Caracter Recognition* o lo que es lo mismo, Reconocimiento Óptico de Caracteres. Gracias a dicha tecnología podremos convertir una imagen escaneada de un texto en un documento de texto editable con, por ejemplo, Microsoft Word.
- La resolución es, por así decirlo, la característica fundamental que marca la diferencia de cualquier escáner. La resolución nos muestra la cantidad de puntos que obtenemos por cada unidad de superficie (pulgadas) de la imagen. Este número viene representado por las letras PPP.
- El rango dinámico es la cantidad de tonos que un escáner puede registrar. Cuando escaneamos un negativo o transparencia y vemos que parte de la información del original carece de detalle es porque el escáner tiene un rango dinámico muy bajo.

Aclarados estos términos y siguiendo la filosofía de este libro de no profundizar en exceso en determinados aspectos que no vienen al caso iremos al grano y veremos qué pautas debemos seguir para sacar el mayor partido posible a nuestro escáner y lograr las mejores capturas de nuestras imágenes.

La primera pregunta que uno suele hacerse a la hora de escanear una imagen es si es mejor escanear la "foto" o el "original". Si dispone del "original" y de un escáner capaz de escanear negativos o diapositivas, no lo dude, la película siempre dará mejor resultado. Tenga en cuenta que en una copia fotográfica en papel, en el mejor de los casos, llegará a tener como muchísimo 400 ppp. Lo que nos lleva a un dato importante: nunca le merecerá la pena escanear a más de 300 ppp una copia de papel. Además, el papel tiene la cualidad o en este caso el defecto de que pierde una buena parte del detalle que hay en la película, algo más que notable en el caso del negativo. Sólo el sistema Cibachrome a partir de diapositivas nos daría una gran fidelidad con respecto a su original, si bien a un coste bastante elevado.

Sin embargo, una imagen en película (negativo o diapositiva) es fácil que supere los 1.000 ó 1.200 ppp efectivos. Si además le va esto de la fotografía y utiliza películas de baja sensibilidad y equipos fotográficos de gama alta con trípode (lo cual le recomendamos utilice siempre que le sea posible) es muy probable que su imagen pudiera llegar a los 3.200 ppp.

Para iniciar el escaneo, recuerde siempre limpiar la superficie del cristal de su escáner. Cualquier mota de polvo o huella dactilar quedará marcada para siempre en su imagen, además de poder provocar brillos o reflejos de lo más molestos.

Una vez que ha colocado la foto en su escáner (con la imagen siempre hacia abajo, pero seguro que de esto ya se ha dado cuenta usted solito) lo mejor es que, si no tiene un ordenador muy potente, abra el software de captura que acompaña al escáner. Programas como Photoshop "consumen" muchos recursos de su ordenador, lo que en los modelos más antiguos puede llegar a provocar que se le "cuelgue". Además, Photoshop utilizará el software que haya usted instalado con el escáner, la única diferencia es que la imagen se abrirá directamente en dicho programa para que pueda retocar la foto antes de guardarla.

Si piensa retocar la fotografía, le recomendamos que la escanee en un formato no comprimido, como BMP o TIFF. Una vez haya terminado definitivamente de trabajar con ella, guárdela como JPG. De esta forma logrará la mejor calidad de imagen.

Baje lentamente la tapa del escáner. Pronto comprobará que tras dedicarle cariño y mimo a colocar la foto perfectamente alineada, tras bajar la tapa la foto aparece de todo menos recta. Seleccione la opción **Previsualizar** y ajuste las distintas preferencias de escaneado siempre teniendo en cuenta el destino final de la imagen.

¿Y cuáles son estas preferencias que debemos ajustar y qué parámetros son los que debemos tener en cuenta? Pues sin ánimo de ser exhaustivos hagamos un pequeño y rápido repaso a ciertos parámetros que sin duda mejorarán el resultado de nuestro "escaneado":

- En primer lugar estableceremos el modo de color adecuado. Si la imagen es en color, seleccionaremos la opción de color al menos de 24 bits. Si es monocroma podemos seleccionar el modo de escala de grises, con lo que el escaneado será más rápido, pero le recomendamos que también en este caso elija la opción de color 24 bits o mayor. La razón es que, en el caso de los escáneres más baratos y en especial en los planos o los multifunción, cuando escaneas en blanco y negro lo que realmente hacen es desactivar parte de sus sensores, en concreto el rojo y el azul, procesando solo los datos del verde. De esta forma consumen menos tiempo y recursos. La idea en principio no es mala salvo porque la calidad, obviamente, disminuye. Así pues, si observa que sus imágenes en blanco y negro tienen más "grano" que si la escanea en color, escanéelas siempre en color y posteriormente convierta la imagen a escala de grises con su Photoshop o cualquier otro programa de retoque fotográfico. Y finalmente, cuando nos dispongamos a escanear un dibujo lineal elegiremos la misma opción que si escaneáramos un documento de texto, es decir, seleccionaremos el escaneado de texto.
- El siguiente paso será el de seleccionar la resolución óptima para el escaneado. Como ya hemos visto, cuanto mayor sea la resolución del escaneado mayor será el archivo obtenido, además de llevar más tiempo dicha tarea, pero ganaremos en calidad de la imagen digital resultante. Lo normal es que tengamos más que suficiente con una resolución de 150 ppp, aunque si estamos pensando en volverlas a imprimir, escogeremos un ajuste de al menos 300 ppp para asegurar una copia lo más fiel posible. En el caso de que queramos utilizar nuestra imagen para una página web o enviarla por correo electrónico, es recomendable no exceder las 75 ppp.

El penúltimo paso obligatorio será el de obtener una imagen previa de la imagen, opción que traen todos los programas de escaneado y que nos permitirá, además de comprobar si la imagen está correctamente colocada, elegir qué es lo que realmente nos interesa de la imagen, lo que nos lleva al siguiente paso.

Recortar la imagen. La función de recorte o de encuadre de la imagen le permite seleccionar qué parte en concreto de toda la imagen le interesa escanear. Esta opción, además de acelerar el proceso de escaneado, le permitirá "re-encuadrar" su imagen, dándole un nuevo "aire". Como sabrá, el tema del encuadre es más que importante en el mundo de la imagen (el aire, las miradas, la composición de plano, etc.) pero, como diría Billy Wilder, esto es otra historia.

El paso anterior sería el ultimo de los que debe seguir de forma obligatoria antes de escanear una fotografía, pero aún le puede quedar uno que, en muchos casos, puede hacer que el resultado mejore considerablemente. Se trata de ajustar el brillo y el contraste desde la consola del escáner. No hay duda de que para esto puede utilizar cualquier programa de retoque fotográfico tras haberla escaneado pero, como ya le hemos dicho, si logra ajustar de forma precisa los niveles de color en esta fase, empezará a trabajar con una imagen de mayor calidad.

Y ya está. Ahora sólo queda repetir estos pasos unas mil o dos mil veces hasta que haya terminado de pasar todos y cada uno de sus álbumes de fotos. Aunque, por otro lado, éste pudiera ser el momento oportuno para hacer desaparecer esas fotos en las que nunca hubiese deseado ser inmortalizado, perpetuando en el tiempo sólo sus mejores instantáneas.

Vuelque sus vídeos al ordenador

Está muy bien eso de grabar uno las vacaciones y ver lo que hemos grabado nada más volver de las mismas, o verlas un par de ocasiones más "torturando" a amigos y familiares. Pero por qué quedarse ahí si puede hacer que sean cientos de miles de millones los que puedan disfrutar de sus vacaciones. Además, esto le dará la oportunidad de empezar a adentrarse en el mundo de la edición de vídeo y lograr que sus producciones dejen de ser una pesadilla de más de cinco horas para aproximarse a una auténtica obra de arte.

La parte más pesada y "complicada" de la edición es precisamente la de volcar su material al disco duro de su PC, el resto, le aseguramos, es fácil y divertido, engancha como hobby y el ego se siente plenamente recompensado tras cada pase de cine familiar.

A diferencia de las fotos, la forma de pasar los vídeos al ordenador depende del tipo de cámara de vídeo que tengamos:

- Si se trata de una cámara de vídeo que graba directamente en disco duro o en tarjeta, la conectaremos al ordenador mediante el conector USB. El sistema operativo la reconocerá y la mostrará en la ventana **Equipo**. El resto del proceso es idéntico al descrito para las fotografías. Sólo si su cámara es una de las modernas AVCHD de alta definición, puede que necesite el software que acompaña a la cámara para poder pasar los archivos al disco duro.

- Si su cámara graba sobre formato DVD, basta con que introduzca el disco en el lector del ordenador. No hace falta que copie los archivos al disco duro, en el siguiente capítulo le contaremos cómo compartir sus vídeos directamente desde el DVD.
- Si su cámara utiliza cintas de tipo miniDV, tanto si es en formato normal (DV) como de alta definición (HDV), la conexión deberá hacerla mediante el conector FireWire y utilizar un programa de captura. No necesita comprar ninguno: Windows Movie Maker es un programa gratuito que se incluye con los sistemas operativos Windows XP y Vista y que le permitirá pasar sus vídeos al ordenador.

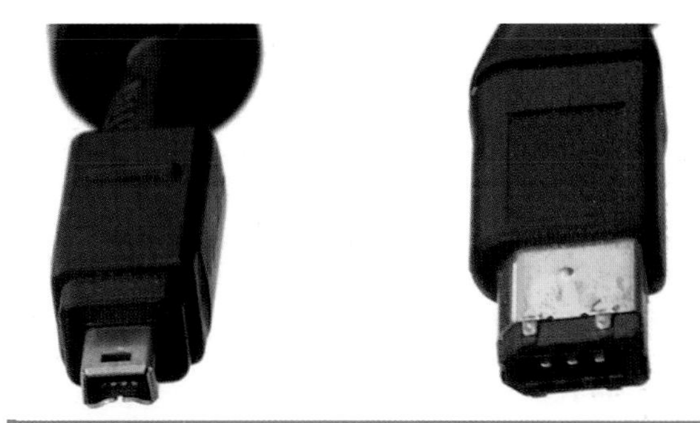

Figura 1.18. Conectores FireWire estrecho y ancho.

Conexión de la cámara

Las cámaras digitales miniDV se conectan al ordenador mediante conectores FireWire, también denominados IEEE-1394 o i.Link. Casi todas las cámaras miniDV disponen también de conectores USB, pero sólo debe utilizarlo para pasar fotos al ordenador, nunca vídeo.

Hay dos tipos de clavijas FireWire, anchas y estrechas. Del lado de la cámara, por razones de espacio, se usa siempre un conector estrecho, mientras que el ordenador puede utilizar unos u otros. Compruebe qué conector tiene antes de comprar el cable.

Figura 1.19. Los portátiles suelen utilizar conectores FireWire estrechos.

Conectamos la cámara al ordenador, la encendemos y la ponemos en modo reproducción. Será automáticamente detectada por Windows y aparecerá en la ventana MiPC como un periférico más. Si su cámara es de alta definición (HDV) puede que Windows XP no la detecte, pero no se preocupe porque los programas de captura funcionarán igualmente.

La captura de vídeo no es directa desde la ventana MiPC, por lo que debemos utilizar un programa de captura. Todos los programas de edición de vídeo comercial (Adobe Premiere, Pinnacle, Ulead Visual Studio, etc.) incorporan una función de captura, incluido Windows Movie Maker.

Volcando el vídeo de la cámara miniDV al ordenador

Para comenzar nuestro trabajo, iniciamos el programa Windows Movie Maker, que se encuentra en el menú **Iniciar>Todos los programas>Windows Movie Maker**. Se nos mostrará la ventana principal de la aplicación (figura 1.20).

La ventana se divide en cuatro zonas, como se indica en la figura: el cuadro de tareas, la colección, el monitor y el área de trabajo. Casi todos los programas de vídeo presentan una distribución similar. Cada zona cumple una función distinta:

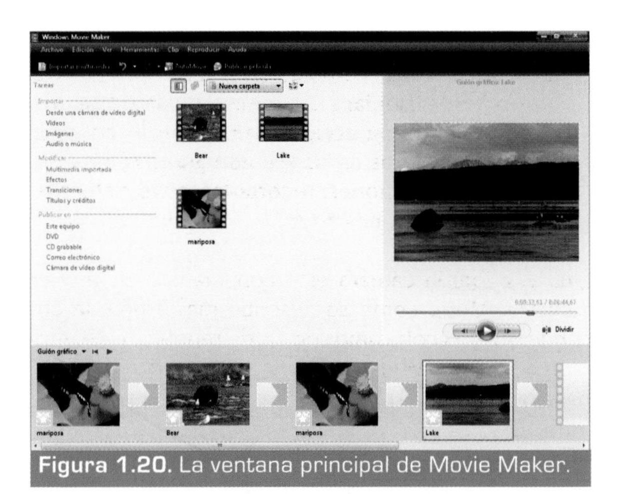

Figura 1.20. La ventana principal de Movie Maker.

- **El cuadro de tareas** nos permite acceder cómodamente a las distintas opciones del programa. También es posible acceder a ellas desde las opciones de la barra de menús.
- **La colección**, que otros programas denominan la biblioteca o el álbum, es el lugar en que se nos mostrará el material original, las escenas que utilizaremos para montar el vídeo una vez que hayamos pasado el proceso de captura y dispongamos de las imágenes en el ordenador.
- En **el monitor** de la aplicación podemos reproducir tanto las escenas individuales como el resultado de la edición.

- **El área de trabajo** se sitúa en la parte inferior y tiene dos formas: como guión gráfico o *storyboard* (en la figura, similar a un cómic), o como línea de tiempo. La forma de editar un vídeo es escoger las escenas, arrastrarlas al guión gráfico y realizar diversas operaciones: recortarlas, añadir efectos, títulos, transiciones, etc.

Una vez que la cámara esté conectada mediante el cable FireWire, como se describe más arriba, la encendemos y la colocamos en modo reproducción, momento en que Windows Vista la reconocerá como muestra la figura 1.21.

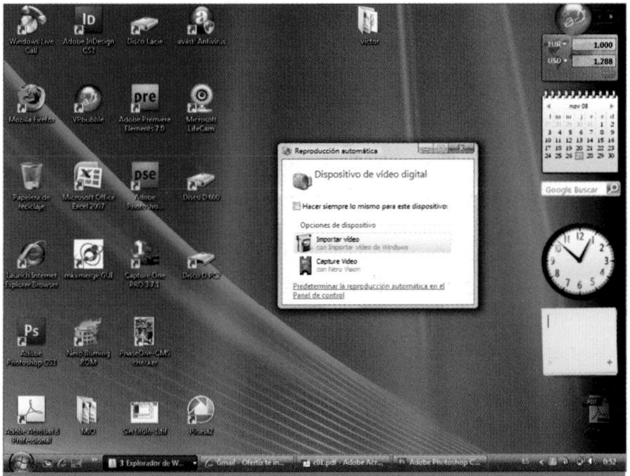

Figura 1.21. El PC reconoce de forma automática la conexión de un dispositivo de vídeo digital.

Para comenzar la captura puede hacerlo de forma directa desde una cámara de vídeo digital al equipo mediante la opción **Importar vídeo** que nos mostraba la figura 1.22. Con esta opción, el vídeo se codifica como un archivo de vídeo y se guarda en el disco duro, para ser editado mediante una aplicación de edición de vídeo, como Windows Movie Maker.

También podemos importar vídeo con Windows Movie Maker, bien haciendo clic en el menú **Archivo>Importar desde cámara de vídeo digital** o haciendo clic en el panel **Tareas** sobre la opción **Importar>Desde una cámara de vídeo digital.**

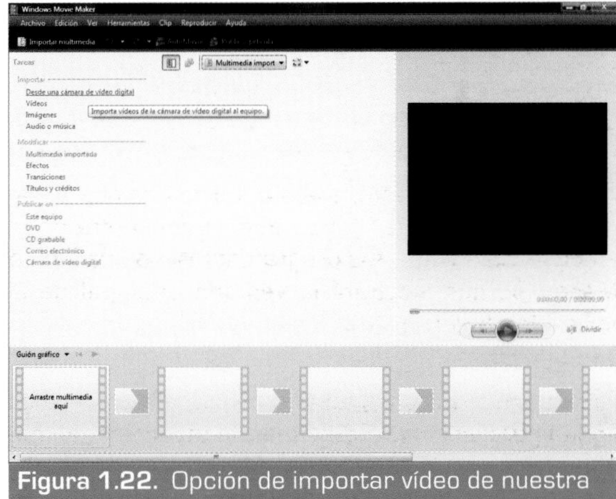

Figura 1.22. Opción de importar vídeo de nuestra cámara de vídeo con Movie Maker.

Ahora nos aparecerá automáticamente el asistente para importar vídeo. En la primera pantalla debemos escoger una carpeta del disco duro y un nombre para el archivo capturado. En el ejemplo hemos escogido la carpeta **Vídeos** y el nombre "Vacaciones". Al terminar el proceso de captura obtendremos el archivo Vacaciones.avi.

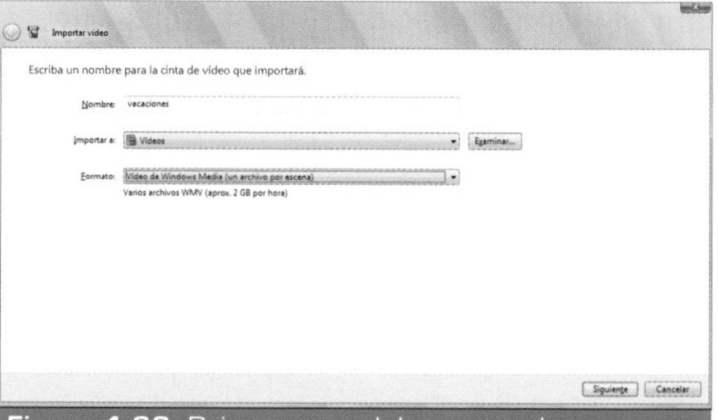

Figura 1.23. Primer paso del proceso de importación de vídeo desde una cámara digital.

A continuación se nos pide que seleccionemos el formato de archivo de vídeo con el que queremos realizar la captura. Si quiere crear un sólo archivo y que el material audiovisual pase al ordenador en su formato original, sin pérdida de calidad, como por ejemplo AVI o DV-AVI, seleccione en Formato la opción Audio y Vídeo intercalado (un solo archivo).

Si quiere crear un solo archivo Windows Media Video (.wmv) con todo el contenido del vídeo importado, seleccione en Formato la opción Vídeo de Windows Media (un sólo archivo).

Por último si desea crear un archivo Windows Media Video para cada clip de la cinta, seleccione en Formato la opción Vídeo de Windows Media (un archivo por escena).

Una vez seleccionado el formato haga clic en **Siguiente**, y nos mostrará otra pantalla donde podremos escoger si capturamos toda la cinta o sólo algunos fragmentos tal y como muestra la figura 1.24.

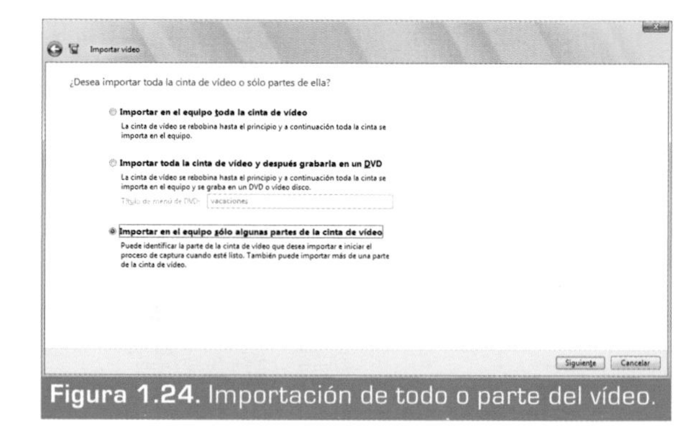

Figura 1.24. Importación de todo o parte del vídeo.

En caso de elegir capturar unos fragmentos se nos muestra una ventana que reproduce la imagen del visor de la cámara y los botones de control. Pulsamos el botón **Iniciar Importar vídeo** y la cinta se pondrá en marcha, transfiriendo las imágenes al ordenador hasta que pulsemos el botón **Detener Importar vídeo**. Podemos escoger otro punto de la cinta y repetir el proceso cuantas veces queramos, antes de pulsar el botón **Finalizar**.

Figura 1.25. Capturando fragmentos de vídeo.

Una vez que hayamos llevado a cabo todo el proceso, podremos encontrar el archivo de vídeo en la carpeta **Vídeos** de nuestro ordenador que se encuentra dentro de la carpeta **Documentos**.

Captura de vídeo analógico

¿Alguien conserva aún cintas VHS o Hi-8? Si es así no se preocupe, también podrá pasar este material al ordenador mediante una tarjeta capturadora. Si no dispone de una tarjeta específica, compruebe la tarjeta gráfica de su ordenador, pues muchas incorporan una entrada de vídeo. Lo mismo ocurre con casi todas las tarjetas sintonizadoras de TV.

Una vez conectado el reproductor de vídeo al ordenador, la captura puede realizarla con Windows Movie Maker, escogiendo en el asistente de captura el dispositivo que le proporciona la señal. De todas formas, para ser honestos, la calidad de vídeo que se obtiene de esta forma es muy pobre, salvo que utilice tarjetas y ordenadores de gama alta.

Una alternativa generalmente mucho más asequible y que le proporcionará gran calidad de imagen es utilizar una cámara miniDV que disponga de una entrada analógica, algo que sólo algunas cámaras de gama media o alta incorporan. Pase el vídeo del reproductor VHS a la cámara digital y, posteriormente, de ésta al ordenador.

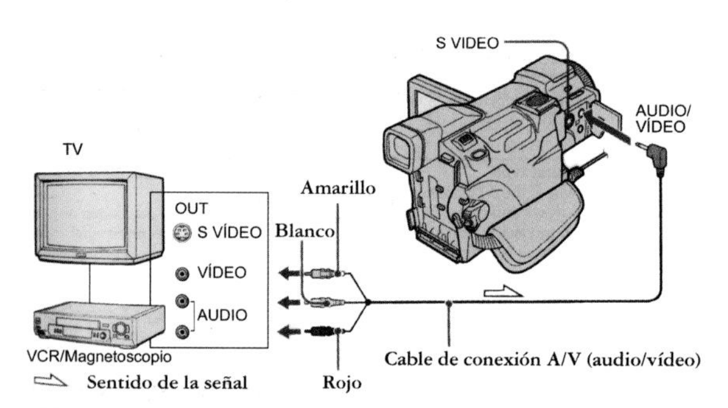

Figura 1.26. Conexión de un dispositivo analógico a la cámara DV.

Para conectar ambos aparatos, lo normal es que por el lado de la cámara disponga de un cable específico que terminará en tres clavijas RCA: una amarilla para el vídeo y otras dos roja y blanca para el audio estéreo. En ocasiones, la clavija amarilla de vídeo se sustituye por un conector S-Vídeo (figuras 1.27 y 1.28).

Figura 1.27. Conectores RCA de vídeo compuesto y audio.

Figura 1.28. Conector S-Vídeo.

Por el lado del reproductor VHS, lo normal es que dispongamos de un euroconector. Existen adaptadores de euroconector a RCA y S-Vídeo, como el que se muestra en la figura. Necesitamos que el adaptador sea reversible, lo que se reconoce porque disponen de un interruptor con dos posiciones. Para captura debemos elegir OUT, pues la señal sale ("OUT") del dispositivo al que se conecta el euroconector. Enchufamos el adaptador al reproductor de vídeo y le conectamos las clavijas que proceden de la cámara.

Figura 1.29. Convertidor reversible de Euroconector a RCA y S-Vídeo.

Si su cámara trae un adaptador como el de la figura pero sin interruptor (se incluyen estos convertidores para facilitar la conexión de la cámara al televisor), no le servirá. Este adaptador está diseñado para llevar la señal de la cámara hacia el euroconector, pero en la captura pretendemos exactamente lo contrario: que la señal pase del euroconector a las clavijas RCA.

Figura 1.30. Adaptador para conectar la cámara al televisor. No válido para captura.

Conectados los dos equipos, ponga en marcha el vídeo y coloque la cámara en modo reproducción (no grabación). Debería ver en el visor de la cámara la imagen del vídeo VHS. Busque en el menú de la cámara la opción **Grabar** y comenzará la captura sobre cinta digital.

La calidad del resultado será más alta que con la mayoría de tarjetas capturadoras para PC. Los inconvenientes son que se necesita disponer, aunque sólo sea unas horas, de una cámara DV con entrada analógica y que el proceso, al ser en dos pasos, dura el doble que la captura directa con una tarjeta de PC.

Algunas cámaras permiten la transferencia directa al ordenador, si al mismo tiempo conectamos la cámara al PC mediante el cable FireWire. Consulte el manual de su cámara y, si tuviera problemas para configurarla, pruebe a extraer la cinta. Si la cámara nos permite la transferencia directa, podremos reducir el tiempo total a la mitad y nos ahorramos utilizar una cinta DV intermedia.

COMPARTIENDO SUS IMÁGENES EN FORMATO RÍGIDO

Pase sus fotos a CD

Una forma fácil de compartir las fotos con sus amigos es pasándoles un CD con ellas. Para grabar un CD con nuestras fotos, vídeos o música no hace falta ningún programa de grabación especial, pues el propio Windows XP permite hacerlo de una forma sencilla.

Grabando un CD o DVD desde Windows

Abrimos la ventana **Equipo**, localizamos la carpeta en la que hemos grabado los archivos MP3 o los vídeos DivX y hacemos clic con el botón derecho sobre cualquiera de ellos. En el menú desplegable elegimos la opción **Enviar a>Unidad de CD**. Repetimos esta operación con todos los archivos que queramos grabar en el mismo CD.

En la barra inferior de Windows aparecerá un icono que, al pulsarlo, nos mostrará la ventana con los archivos que están pendientes de grabar en CD. Colocamos un CD virgen en la unidad y elegimos la opción **Grabar estos archivos en un CD**, con lo que se iniciará el proceso de grabación.

El CD así grabado contendrá nuestras fotos y nos servirá para compartirlo con nuestros amigos, llevar las fotos a "revelar" (en realidad, a imprimirlas) en una tienda de fotografía, o simplemente conservarlas en este soporte. Además, si disponemos de un reproductor de DVD capaz de mostrar imágenes JPEG, nos servirá para disfrutar de ellas en el televisor.

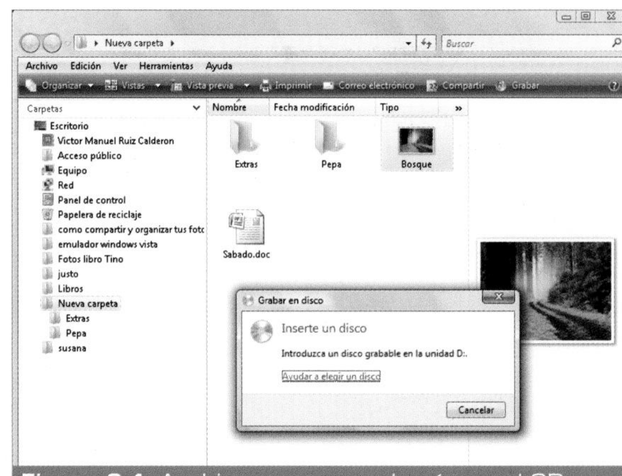

Figura 2.1. Archivos que se grabarán en el CD.

Creación de FotoCD con Nero

Pero claro, no todos los reproductores de DVD admiten discos con fotos JPEG. Es habitual, pero no forma parte del estándar. Si es su caso no se preocupe, puede preparar un FotoCD y, de esta forma, su reproductor de DVD lo aceptará con casi total seguridad.

La forma más sencilla de preparar un FotoCD es utilizando Nero, quizá el programa de grabación más popular de cuantos existen para PC, sencillo de usar y muy asequible.

NOTA

Nero es un programa muy completo y asequible, aparte de ser el más popular, que consideramos que no debe faltar en su PC. De todas formas, si no desea desembolsar ni un euro, tiene alternativas gratuitas como *CD Burner XP*, para grabar CD y DVD.

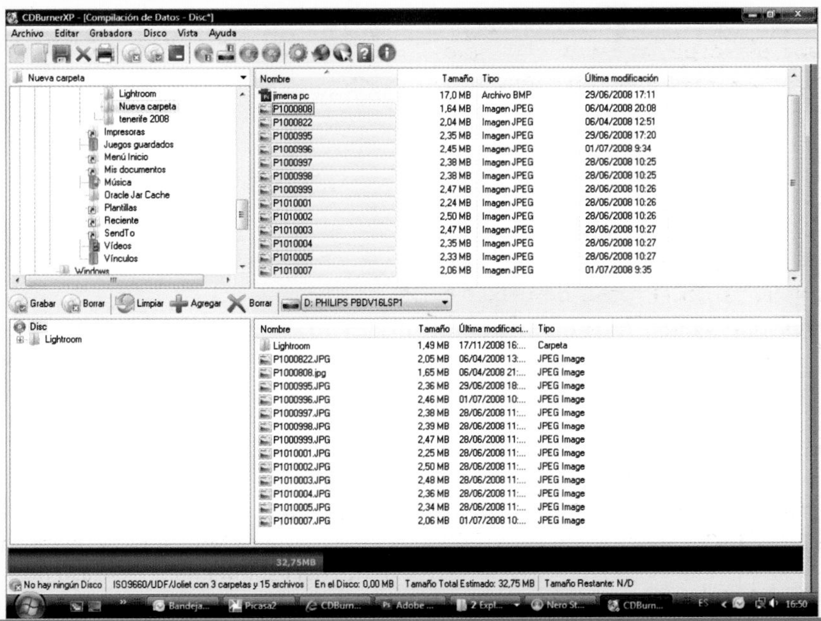

Figura 2.2. Ventana principal de CD Burner XP Pro.

También hay programas gratuitos que realizan, a partir de fotos, pases de diapositivas y las graban en DVD. Pruebe *DVD SlideShow GUI* si no le convence la alternativa de pago (TMPGEnc DVD Author) que le presentaremos en el apartado siguiente.

Para preparar nuestro FotoCD, iniciamos el programa Nero Express, que nos mostrará una ventana como la de la siguiente figura.

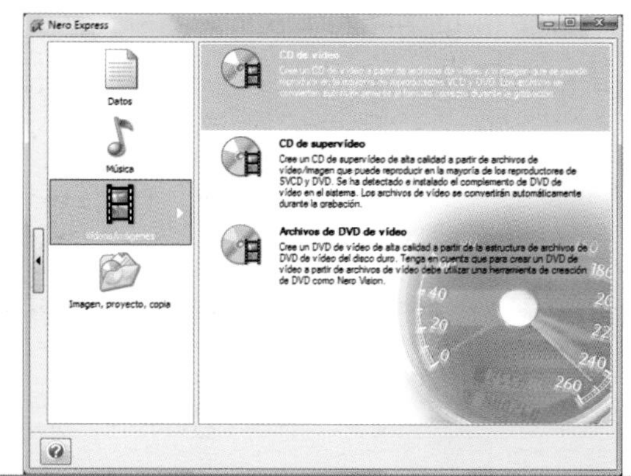

Figura 2.3. Elección del formato CD de vídeo.

Escogemos el icono **Vídeos/Imágenes** y la opción **CD de vídeo**, lo que nos lleva a la ventana para creación de VideoCD (un FotoCD no es más que una variante del VideoCD), que se muestra en la figura 2.4.

En esta ventana es donde incorporaremos las fotografías que queremos incluir en el CD. Para añadir las fotos podemos arrastrarlas desde su carpeta hasta esta ventana o bien hacer clic sobre el botón **Añadir** y seleccionarlas en sus carpetas. La ventana de selección de archivos nos permite previsualizar las fotos antes de escogerlas (figura 2.5).

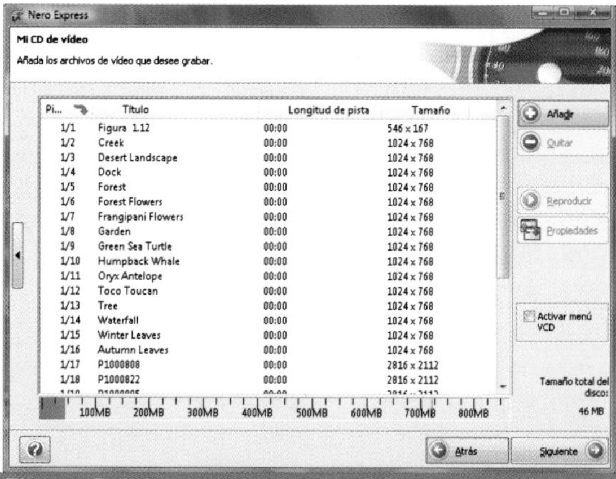

Figura 2.4. La ventana de Nero Express para la creación de un FotoCD.

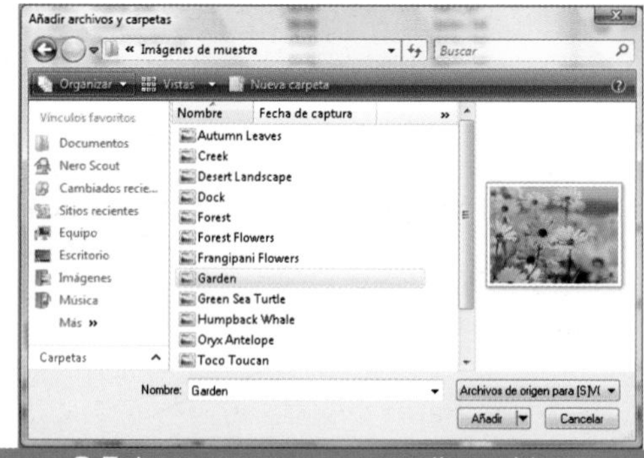

Figura 2.5. La ventana para añadir archivos.

A la hora de seleccionar las fotos que vamos a incluir en el FotoCD no importa el tipo de imágenes que sean (BMP, JPEG, etc.), ni el tamaño que tengan las fotos originalmente, pues serán convertidas a 704 x 576 puntos, que es la resolución de un televisor normal (de tubo). Si las fotos no guardan la misma relación de aspecto de la pantalla, se añaden bandas negras a ambos lados, o encima y debajo. Si la foto es más pequeña, se amplía.

En la ventana principal de Nero Express debe asegurarse de que la casilla Activar Menú VCD no esté marcada. Si bien en un VideoCD puede ser útil que desde un menú accedamos directamente a los distintos vídeos, en el caso de un FotoCD este procedimiento resulta más bien engorroso.

Pulsando el botón **Más>>** se muestran opciones adicionales en la parte inferior de la pantalla. Marcando la casilla Almacenar imágenes de origen conseguiremos que el CD contenga, no sólo las imágenes en tamaño televisión, sino también los archivos originales con calidad completa, para el caso de que dispongamos de un reproductor DVD capaz de mostrarlas. Las fotos se almacenarán en una carpeta con el nombre que indiquemos en este campo.

En la ventana central se nos muestra el nombre de los archivos con las fotos que hemos seleccionado, su tamaño original (en el ejemplo hemos utilizado fotos de 2048 x 1536 puntos) y la duración del vídeo que, como son fotos, es cero.

El FotoCD así montado nos mostrará las fotos en pantalla de una en una, de forma que para pasar a la siguiente tendremos que pulsar el botón de avance del mando. Si lo que queremos es montar un pase de diapositivas en el que vayan avanzando por sí solas, tendremos que indicar el tiempo que permanecerá cada foto en pantalla en lugar del cero. Seleccionamos todas las fotos de la ventana central y pulsamos el botón **Propiedades**, que nos mostrará la ventana de la siguiente figura.

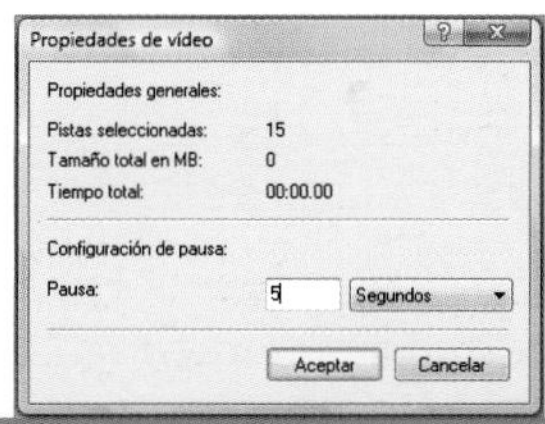

Figura 2.6. Indicando el tiempo de visualización de las fotos.

Escogemos en el desplegable la opción Segundos e indicamos en la casilla el tiempo de la pausa en segundos, cinco en el ejemplo.

Hecho esto podemos hacer clic sobre el botón **Siguiente** y accederemos a la ventana de opciones de grabación, en la que podemos indicar una etiqueta para el disco.

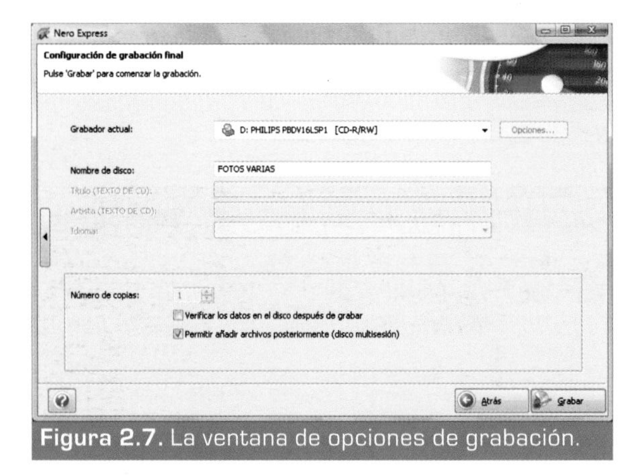

Figura 2.7. La ventana de opciones de grabación.

Haciendo clic sobre el botón **Grabar** del cuadro de diálogo se inicia la grabación del disco, que nos muestra la ventana de progreso de Nero, tal como se ilustra en la figura 2.8.

En un FotoCD no podemos añadir música de fondo (que, por otra parte, resulta poco práctica en un pase de diapositivas, pues se oirían saltos cuando cambiamos de foto). Se puede montar un pase de diapositivas con música, pero para esto resulta mucho más conveniente crear una presentación de fotos en formato DVD.

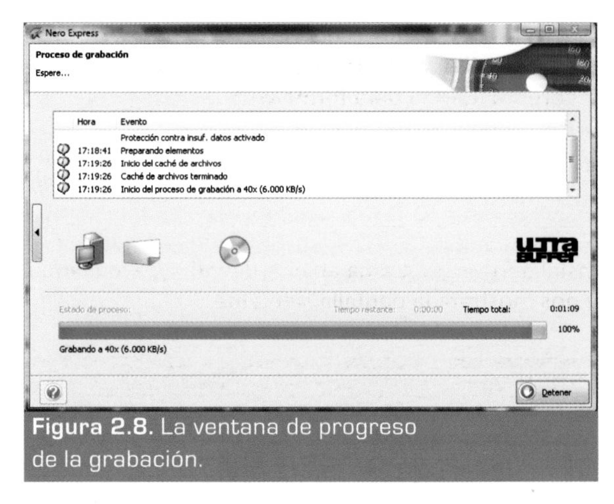

Figura 2.8. La ventana de progreso de la grabación.

Pase sus fotos y vídeos a DVD o DivX

Pasar nuestros vídeos a DVD no es mucho más difícil que pasar las fotos a CD, siempre que contemos con el programa adecuado. Hay alternativas gratuitas y de pago. En este apartado nosotros nos hemos decidido por utilizar TMPGEnc DVD Author 3, que nos ha parecido el más completo y sencillo de cuantos hemos probado.

Este programa no es gratuito pero sí muy asequible. Puede descargar una versión de prueba de la web de su autor, www.tmpgenc.net y, al cabo de 14 días, decidir si lo adquiere o no. La versión que le mostramos es la última versión de prueba en español que incorpora autoría para formato DivX.

Pasando vídeos a DVD con TMPGEnc DVD Author

Instalamos el programa en el ordenador, lo iniciamos y nos mostrará la pantalla siguiente.

Figura 2.9. Ventana principal de TMPGEnc DVD Author.

Elegimos en el desplegable el formato del disco que queremos crear, en el ejemplo un DVD-Video PAL, que es el formato utilizado en Europa. Hacemos clic sobre el botón **Nuevo proyecto** (empezar un nuevo proyecto) y se nos mostrará la segunda ventana, en la que elegiremos los vídeos que compondrán nuestro DVD.

Selección del material de vídeo

Figura 2.10. La ventana de selección de archivos de vídeo.

La ventana tiene dos partes principales: la columna de la izquierda nos muestra las pistas que compondrán nuestro DVD y la parte central contiene los vídeos que incorporará la pista seleccionada (que en el ejemplo es la pista 1, conteniendo un único vídeo).

En general, sus DVD tendrán una sola pista. Sólo necesitará dos o más pistas si va a mezclar vídeo normal (4:3) y panorámico (16:9) o si sus vídeos utilizan formatos de sonido incompatibles entre sí. Si se dan estas circunstancias, el programa se lo avisará.

Los vídeos que podemos incorporar proceden de las siguientes fuentes:

- **Archivos del ordenador.** Si disponemos del material de vídeo en el disco duro, como por ejemplo si hemos pasado a nuestro ordenador los vídeos como se indicó en el capítulo 1. TMPGEnc admite una gran variedad de archivos de vídeo. En la práctica, si se puede ver en el ordenador, casi seguro que TMPGEnc lo aceptará.
- **Cámaras DV o HDV.** El programa nos permite pasar al disco duro el contenido de cintas DV y HDV, al igual que hicimos con Movie Maker en el capítulo 1, tras lo cual incorpora el vídeo a nuestro disco.
- **Programas grabados con Windows Media Center.** Si dispone de un ordenador Media Center y ha grabado, por ejemplo, programas de televisión, podrá incorporarlos al DVD.
- **El contenido de otros DVD.** Especialmente útil si utiliza una cámara de vídeo de las que graba en disco. Obviamente, no podrá incorporar contenido de vídeo protegido con copyright.

Para ver todas estas opciones, haga clic sobre **Búsqueda Avanzada** y siga las instrucciones que aparecen en pantalla. Como ejemplo, nosotros vamos a incorporar un archivo de vídeo del disco duro del ordenador, lo que se hace más rápido con el botón **Agregar archivo**. Al elegirlo, se nos pide nombre del archivo a importar y se nos muestra una ventana como ésta:

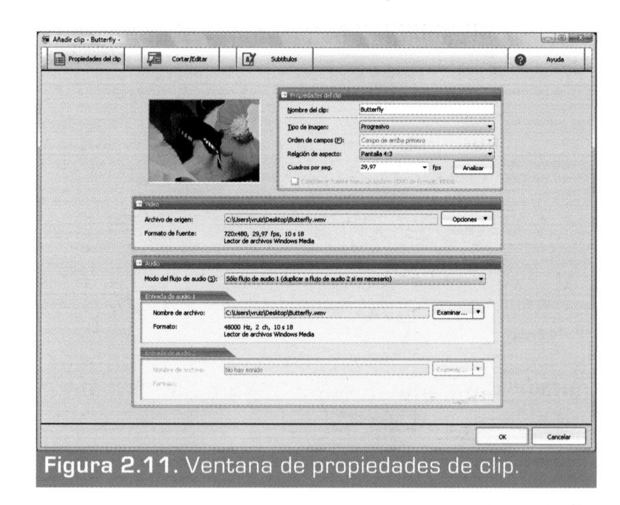

Figura 2.11. Ventana de propiedades de clip.

La ventana nos muestra las diferentes propiedades del clip de vídeo que vamos a incorporar al disco. En el ejemplo, un vídeo de alta definición MPEG. No se preocupe si no está familiarizado con estos parámetros.

Si va a incorporar el archivo completo, pulse el botón **OK,** pero si quiere elegir sólo unos fragmentos de vídeo, tiene la opción de "recortarlo" haciendo clic sobre el botón **Cortar/Editar.**

Figura 2.12. Ventana de recorte. 1 - Botón cuadro de inicio . 2 - Botón cortar la selección actual. 3 - Botón cuadro final.

El funcionamiento es muy sencillo. Podemos reproducir el vídeo con los controles habituales de reproducción o bien podemos ir a cualquier parte utilizando la regla circular. Si lo que queremos es conservar sólo un fragmento de vídeo, nos posicionamos en el fotograma inicial y pulsamos el botón de inicio de selección (marcado como 1 en la figura). A continuación nos vamos al fotograma final y pulsamos el botón de fin de selección. Al pulsar **OK** volvemos a la ventana principal del programa con el vídeo ya incluido en nuestro disco, pero sólo el fragmento seleccionado.

Pero puede que lo que queramos es incluir el vídeo completo excepto algunos fragmentos (si, por ejemplo, hemos grabado un programa de televisión y queremos suprimir los anuncios). En ese caso nos posicionamos al principio y final de los anuncios y los marcamos como inicio y fin de selección, al igual que en el caso anterior, pero a continuación pulsamos el botón con la tijera.

El resultado será que se conserva el vídeo completo excepto los fragmentos que vayamos "recortando".

El programa permite marcar capítulos y muchas otras opciones en las que no vamos a profundizar. Una vez elegido el fragmento de vídeo que queremos, volvemos a la ventana principal.

Un pase de diapositivas en DVD

Además de vídeos, merece la pena comentar la opción de añadir un pase de diapositivas, con la que podemos conseguir lo mismo que hicimos con Nero para preparar un FotoCD, pero en DVD y con ciertas ventajas adicionales.

Hacemos clic sobre el botón **Añadir proyección** (añadir un pase de diapositivas), que nos mostrará una ventana como la siguiente.

Figura 2.13. La ventana de preparación de un pase de diapositivas ofrece diferentes opciones para incluir transiciones y personalizarlas.

Podemos incluir las fotos de una en una con el botón **Añadir imagen** pero, si las tenemos todas en una misma carpeta, es más rápido incluir la carpeta entera con el botón **Importar carpeta**. Las fotos se pueden elegir una a una y girarlas si es necesario, a derecha e izquierda respectivamente con los botones **Izquierda** y **Derecha** situados debajo de la imagen.

El pase de diapositivas nos mostrará una foto cada 5 segundos aunque, si deseamos otro intervalo o queremos incluir transiciones (fundidos o cortinillas entre las diapositivas), podemos modificarlo en el botón **Configurar proyección**.

Además de todo esto, ¡podemos añadirle música! Elegimos el botón **Audio**, que nos mostrará la ventana siguiente.

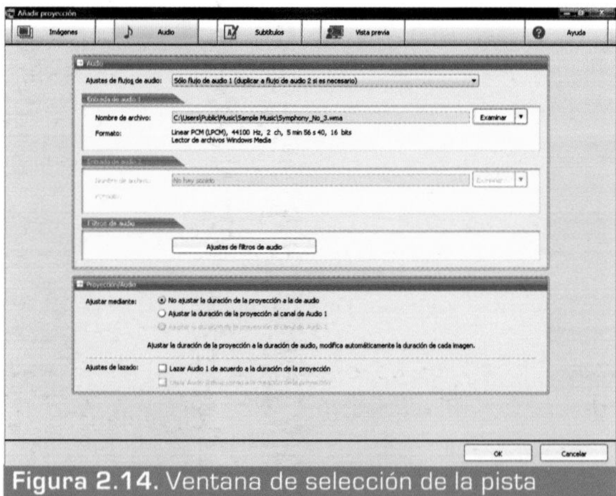

Figura 2.14. Ventana de selección de la pista de audio.

Tenemos que elegir las opciones tal como se muestran en la figura a excepción, claro está, del archivo que contiene la banda sonora, que elegiremos haciendo clic en el botón **Examinar**...

Podemos previsualizar el resultado en el botón **Vista previa**. Cuando estemos conformes con cómo nos ha quedado, pulsando el botón **OK** volveremos a la ventana principal de la aplicación. En ella figurará un nuevo clip de vídeo con nuestro pase de diapositivas.

Añadiendo los menús

El siguiente paso, cuando ya tengamos todos los vídeos elegidos, es disponer de un menú. Elegimos la opción **Menú**, que nos lleva a la siguiente ventana de la aplicación.

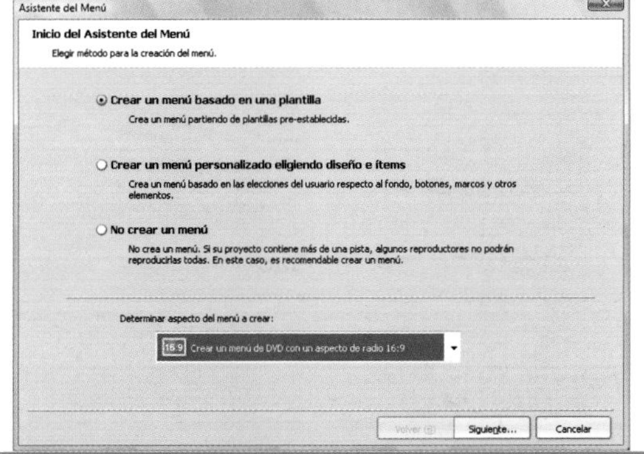

Figura 2.15. El asistente para la creación de menús.

Si no deseamos un menú, lo más rápido es escoger la opción **No crear un menú**. Pero si deseamos añadir un menú a nuestro DVD, lo más cómodo es escoger alguna de las plantillas que nos ofrece el programa. Elegimos en el desplegable el formato de menú que mejor encaje con nuestros vídeos (en el ejemplo, un menú panorámico 16:9) y elegimos la opción **Crear un menú basado en una plantilla**. El botón **Siguiente...** nos lleva a la ventana siguiente.

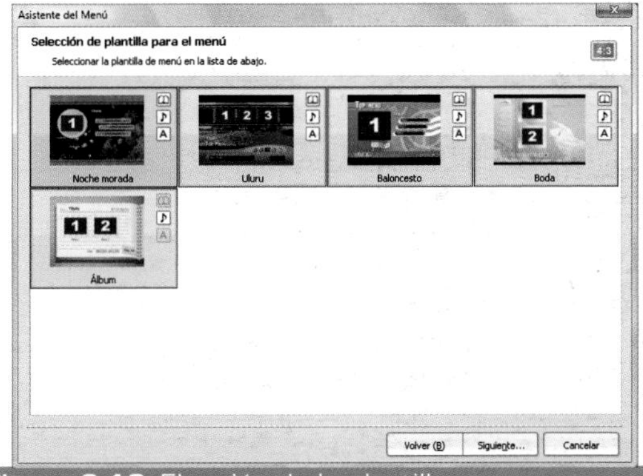

Figura 2.16. Elección de la plantilla.

El asistente nos ofrece varias plantillas para elegir el formato de nuestro menú. Elija la que más le guste (no se preocupe si no es exactamente lo que iba buscando, siempre podrá modificarla más adelante) y pulse **Siguiente...**

A continuación hay dos pantallas que nos preguntan cuántos menús queremos y si los menús deben mostrarse al principio o al final, después de los vídeos. Si su DVD consta de una sola pista, que es lo normal, una buena opción es que deje marcadas las opciones por defecto, que se muestran en la figura 2.17.

Con esta operación, el programa se encontrará ya en disposición de montar los menús que vamos a necesitar. Si por ejemplo hemos seleccionado seis vídeos pero en la plantilla solamente se muestran tres por página, el programa preparará dos páginas de menú y lo mostrará en la pantalla. Hacemos doble clic a continuación sobre una cualquiera de ellas y se nos muestra a página completa, para que podamos personalizarla (figura 2.18).

Los elementos que se pueden modificar son los títulos, tanto el de la página como el de cada vídeo, así como escoger la imagen para cada uno de ellos. Para modificar un elemento basta hacer doble clic sobre él.

Se pueden personalizar otras muchas características y, si le coge gusto a esto de la autoría de DVD (que es como se llama el proceso de montar los vídeos y menús sobre un soporte) descubrirá interesantes posibilidades de este programa. Pero por el momento, con esto nos basta.

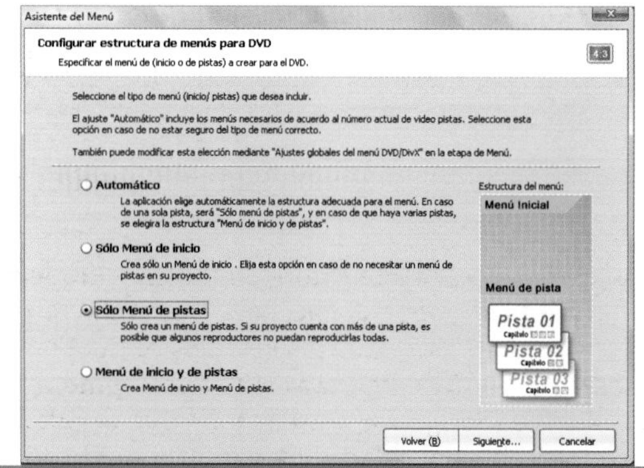

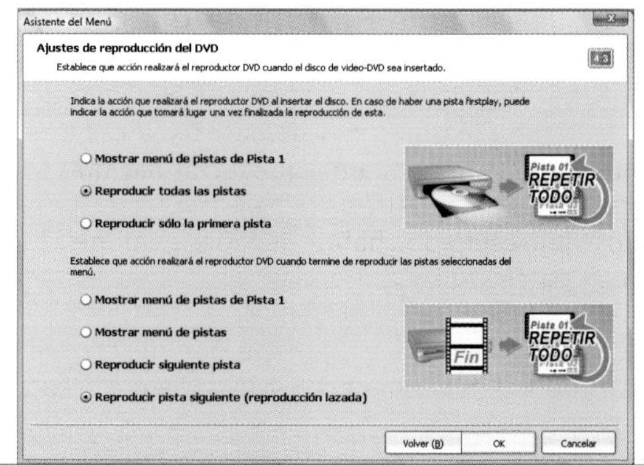

Figura 2.17. Opciones de navegación por los menús del DVD.

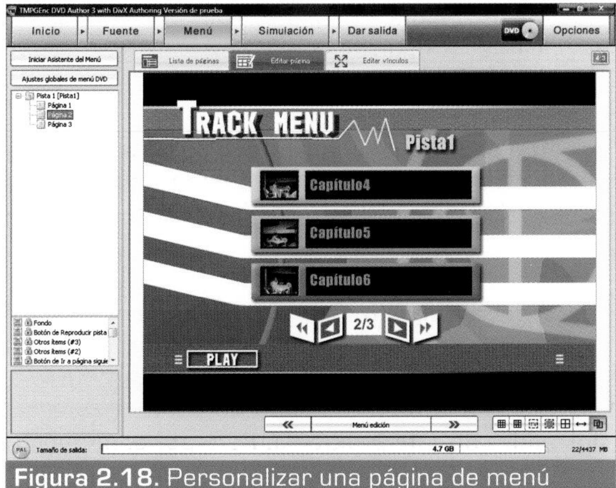

Figura 2.18. Personalizar una página de menú para nuestras películas personales.

Grabando el resultado

TMPGEnc DVD Author incluye un simulador al que se accede en el botón **Simulación**. Nos permite ver cómo quedarán los menús, qué teclas hay que pulsar para navegar por ellos, etc. Cuando estemos convencidos del resultado, habrá llegado el momento de grabar en disco nuestra obra.

Accedemos a la opción de menú Dar salida, que nos mostrará una ventana como la de la figura 2.19.

Podemos elegir entre grabar nuestro DVD en el disco duro o, además, grabarlo a disco. Si lo hacemos en dos pasos, podremos volver a probar los menús con un programa reproductor externo (WinDVD, PowerDVD, etc.) pero, al precio que están los DVD, no supone mucho riesgo quemarlos directamente en disco.

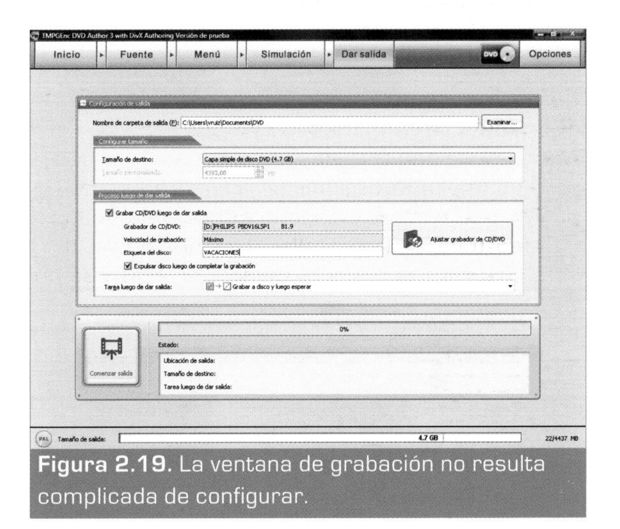

Figura 2.19. La ventana de grabación no resulta complicada de configurar.

Sea como sea, es obligatorio que especifiquemos una carpeta donde se almacenarán los archivos para luego ser grabados. Si especificamos el tamaño del disco (CD, DVD de una capa o DVD de doble capa), la calidad de imagen se ajustará para que el vídeo no exceda de la capacidad del soporte donde se va a realizar la grabación.

Pasar los vídeos a DivX

Si utiliza TMPGEnc DVD Author, preparar un disco con sus vídeos en DivX es ¡exactamente igual que preparar un DVD! El único detalle a cuidar será escoger en la pantalla de bienvenida el formato DivX.

Quizás le sorprenda que en un disco DivX se puedan incorporar menús, pero es así. La mayoría de ellos no los llevan, en especial los archivos que se intercambian por Internet, pero desde hace ya unos años, los reproductores que lucen el logo DivX deben poder incorporar los menús. Pruebe con el suyo. Le sorprenderá lo parecido a un DVD que llega a ser.

Figura 2.20. Logo de certificación DivX que muestran los reproductores.

Pase sus vídeos al móvil, PDA o PSP

Al igual que en el caso anterior, existen programas que podremos utilizar para pasar los vídeos a nuestro dispositivo móvil, sea cual sea. Sólo debemos conocer qué formatos de vídeo acepta nuestro dispositivo.

Así, para pasar vídeos a la PSP podemos utilizar el programa *PSP Video 9*, para los móviles Nokia (y la mayoría de los otros, que utilizan el llamado vídeo 3GPP o 3GPP2) valdrá el *Nokia Multimedia Converter*, para el iPOD usaremos *Videora iPOD Converter* y para el flamante iPhone de Apple tenemos el *Videora iPhone Converter*, todos ellos gratuitos.

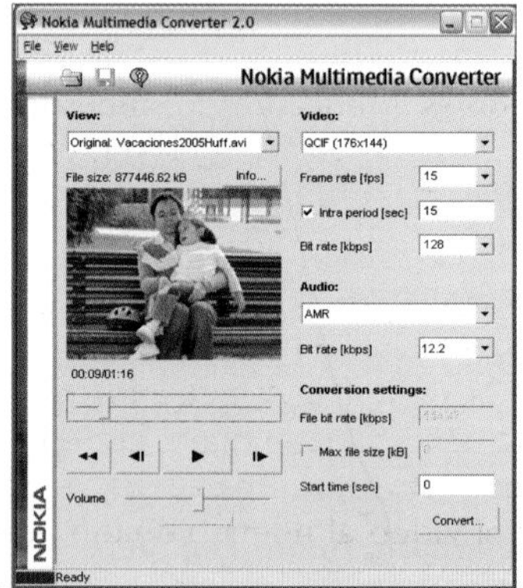

Figura 2.21. Ventana principal de la aplicación Nokia Multimedia Converter.

Casi todos estos programas necesitan que el material de vídeo original esté en un archivo de vídeo, no tienen la flexibilidad que vimos en TMPGEnc de extraerlo de DVD o directamente de la cámara. También convierten los archivos de uno en uno y suelen solicitar muchos parámetros técnicos, aunque por lo general basta con dejar las opciones por defecto. Si desea preparar vídeos para un dispositivo en concreto, utilice el programa correspondiente y dedique un tiempo a familiarizarse con él.

En el caso de las PDA con sistema operativo Windows Mobile el método es algo más general. Con ellas puede reproducir casi cualquier formato de vídeo si le instala algún reproductor como PocketMVP. Pero el formato que admiten "de fábrica" es Windows Media Video, incorporado en el reproductor Windows Media Player, que forma parte del sistema operativo.

A la hora de comprimir vídeo para PDA debemos tener en cuenta la limitación que nos impone el tamaño de la pantalla. Aunque los reproductores ajustan el tamaño de la imagen, las limitaciones de memoria en estos terminales hace aconsejable recodificar el vídeo al nuevo tamaño, a fin de ahorrar espacio.

Vamos a ilustrar el proceso de compresión de vídeo para PDA en formato Windows Media Video, utilizando el Codificador de Windows Media, aunque también puede hacerse con Windows Movie Maker, programa que ya utilizamos en el capítulo 1.

Conversión con el Codificador de Windows Media

El Codificador de Windows Media puede descargarse gratuitamente de la web de Microsoft, buscando *Windows Media Series* en la zona de descargas. Lo instalamos e iniciamos la aplicación, que nos mostrará una pantalla como la de la figura.

Figura 2.22. El asistente de codificación de Windows Media.

Este programa tiene varias aplicaciones y, por ejemplo, nos serviría para difundir por Internet lo que capture nuestra webcam (*streaming* de vídeo). En nuestro caso vamos a utilizarlo para convertir un archivo, por lo que seleccionamos esta opción en la pantalla de bienvenida y pulsamos **Aceptar**, lo que nos conduce al asistente para conversión de archivos.

La figura muestra los pasos principales del asistente de conversión de archivos. En primer lugar se nos pide el nombre del archivo a convertir y un nombre para el archivo que se creará. En nuestro caso hemos partido de un vídeo MPEG2, pero habría funcionado igual con un vídeo DV-AVI (incluso mejor, porque los archivos MPEG no los trata con demasiada agilidad). Véase la figura 2.23.

En el segundo paso se nos pide el formato de salida y debemos escoger Pocket PC. En el tercer paso especificamos la calidad de la conversión. Para una reproducción óptima seleccionaremos la opción de pantalla panorámica y audio con calidad CD, como se muestra en la figura.

A continuación se nos piden una serie de datos opcionales informativos como el título, autor, etc. y se lanza el proceso de conversión (figura 2.24).

La conversión se realiza en dos pasadas, lo que redunda en una mejor calidad de imagen para un tamaño de archivo determinado. Durante la primera pasada se realizan los cálculos de compresión de imágenes pero no se realiza la conversión ni se muestra el vídeo, operaciones que se corresponden con la segunda pasada. Terminado el proceso obtenemos el archivo que necesitamos para transferirlo a nuestra PDA.

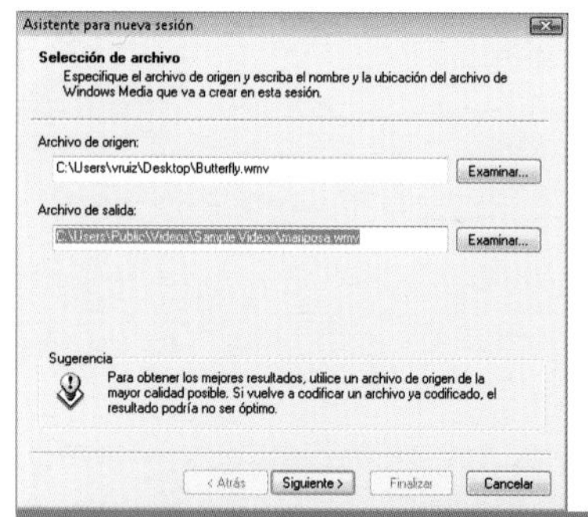

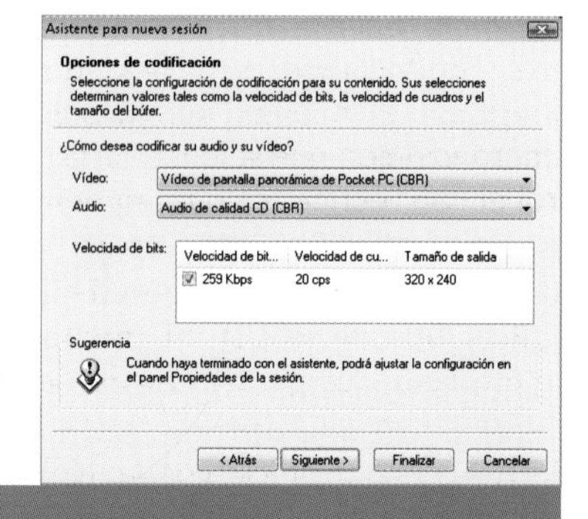

Figura 2.23. El asistente de conversión de archivos.

Figura 2.24. Proceso de codificación del vídeo

Transferir el vídeo final a la PDA

Transferir un archivo a la PDA es sencillo. Si tiene instalado Windows Vista, no será necesario instalar la aplicación ActiveSync, ya que será el **Centro de sincronización** que se encuentra en el **Panel de Control** el que reconozca directamente nuestra PDA.

Si utiliza Windows XP, deberá instalar en el PC esta aplicación que se distribuye con las PDA. También se puede descargar de la web de Microsoft.

En Windows XP, iniciamos ActiveSync, conectamos y encendemos la PDA, tras lo cual el ordenador la detectará y nos preguntará qué tipo de sincronización deseamos. La pregunta varía según la versión de ActiveSync, por lo que debe elegir la opción **Asociación como invitado**, o simplemente pulsar el botón **Cancelar**, según sea el caso. El resultado será, si lo hemos hecho correctamente, que se mostrará la ventana principal de ActiveSync.

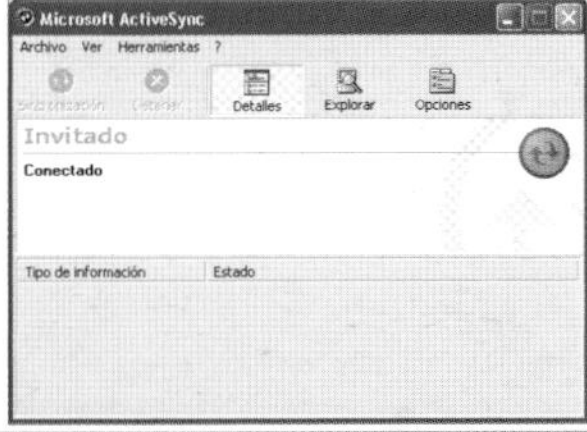

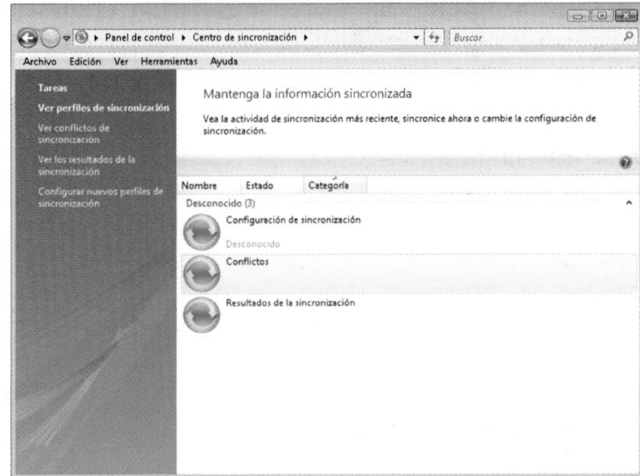

Figura 2.25. La ventana de Microsoft ActiveSync y el Centro de sincronización en Windows Vista.

Pulsando el botón **Explorar** se nos abre una ventana del navegador que nos muestra el contenido de la memoria de la PDA, con las carpetas habituales de Windows **Mis Documentos**, etc. Lo normal es que almacenemos vídeo en una tarjeta SD de expansión, a la que accederemos navegando por las carpetas: doble clic en el icono **Mi Pocket PC** y luego en la carpeta **Tarjeta de Almacenamiento** o *Storage Card*. A esta carpeta es a la que debemos arrastrar el archivo generado con el Codificador de Windows Media.

Cuando copiamos archivos a la PDA se nos muestra una ventana general que indica que puede ser necesaria una conversión de formato y una posible pérdida de datos, pero no aplica a la copia de vídeo en este formato por lo que se puede ignorar. En Windows Vista la copia del vídeo se realiza de la misma forma que con otro dispositivo de almacenamiento extraible.

Una vez que tenemos el archivo en la PDA se puede reproducir con el Windows Media Player. Si no indicamos nada se reproduce en tamaño reducido con la pantalla en vertical, pero si pulsamos el icono de la esquina superior derecha de la imagen (marcado en rojo), el vídeo se muestra a pantalla completa en horizontal, lo que mejora notablemente la calidad del visionado.

Esto es todo lo que se necesita para disfrutar de nuestro vídeo en la PDA. También podemos reproducir material MPEG, MP3, DivX o Nero Digital, si disponemos del reproductor adecuado. La conversión a estos formatos se ha tratado brevemente y no profundizaremos en ella. Sólo habría que tener cuidado en todos los casos de respetar el tamaño de pantalla, que suele ser de 240 x 320 puntos y un *bitrate* máximo de 400 kbps entre vídeo y audio (350 kbps para vídeo y 50 kbps para audio, por ejemplo), una configuración que funcionará bien en la mayoría de estos dispositivos.

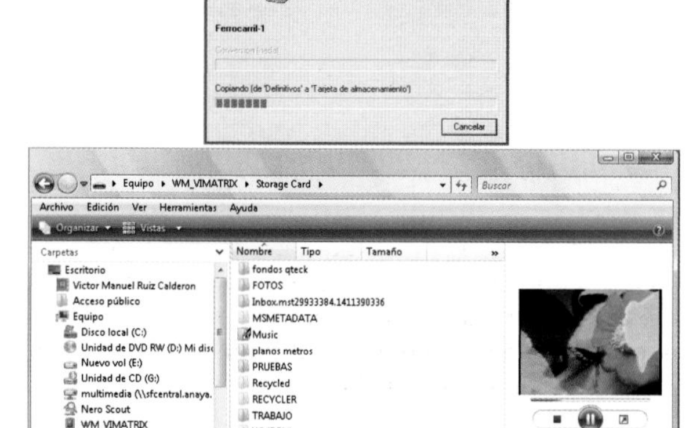

Figura 2.26. Arriba: ventana de progreso de la copia en XP. Abajo: vídeo copiado en la PDA con Windows Vista.

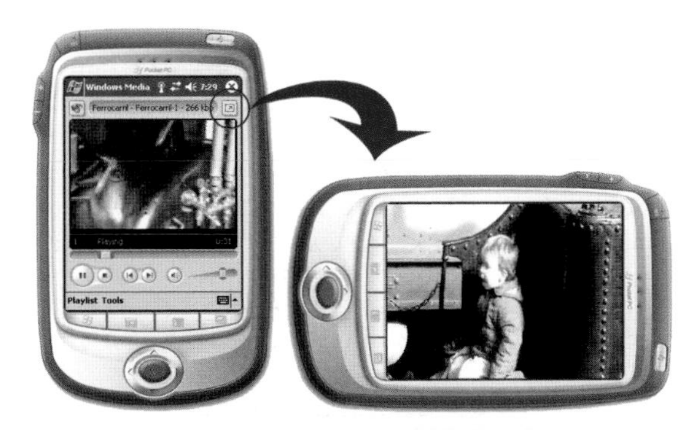

Figura 2.27. El reproductor de la PDA, en modo normal y apaisado.

Pase sus fotos a papel

Un clásico entre los clásicos: las fotos en papel. Hace no muchos años no era necesario hacer este tipo de aclaración, a no ser que fuera un gran aficionado e hiciese también diapositivas. Hoy no hay más remedio que dejar claro cómo vamos a ver las fotos de nuestro veraneo y créanos, el papel es el soporte menos utilizado a día de hoy.

Aún así a todos nos gusta llenar el corcho de la pared con fotos de nuestros amigos, la mesa de nuestro trabajo con fotos de nuestros niños, la estantería del salón con la foto de boda de la niña o el salpicadero del coche con un emotivo y rayando en lo hortera "no corras papá". Gracias a las nuevas impresoras de calidad fotográfica a precios más que asequibles, las nuevas máquinas de revelado "hágalo usted mismo" y el revelado *online*, parece que hay cierto resurgir en esto de las fotos en papel.

Seguro que ya ha impreso unas cuantas fotos en casa o ha encargado copias en la tienda del centro comercial mas cercano pero, ¿ha probado ha hacer sus pedidos por Internet? Créanos cuando le decimos que, además de fácil, es la opción mas barata de todas, incluida la del hágalo usted mismo.

Existen diversos servicios de revelado por Internet. Déjese aconsejar por sus amigos (si conoce buenos aficionados) o, si no, pase al capítulo siguiente, donde le mostraremos las opciones de revelado que ofrecen Picasa y Flickr.

CAPÍTULO 3

Picasa

Picasa es, desde nuestro punto de vista, un excelente programa con el que no sólo podrá compartir sus fotos con todo el que quiera sino que, además, le servirá como excelente organizador y catalogador de las mismas, gracias a su fácil e intuitiva consola de herramientas que en todo momento nos irá indicando los pasos a seguir. Y todo ello en un casi perfecto castellano.

Picasa tiene muchas funciones útiles, como son la edición de una sola pulsación, es decir, procesos de edición automatizados con los que podemos eliminar los ojos rojos de nuestras fotografías, corregir la luz o el color y crear distintos efectos, además de incluir impresión de imágenes y un sistema de línea de tiempo para imágenes muy llamativo y espectacular.

Estas imágenes se pueden organizar en álbumes que, a su vez, se pueden organizar en colecciones. Las imágenes se pueden subir a álbumes o colecciones con tan sólo arrastrarlas y soltarlas. También se pueden exportar, cambiar de tamaño, mandar por correo electrónico e imprimir, de acuerdo con la compatibilidad de las tiendas que brindan impresión de fotos mediante la Red.

Picasa también es una compañía norteamericana de fotografía digital, la cual creó el programa iPhoto para Apple y, como evolución de éste, creó el programa Picasa para Windows.

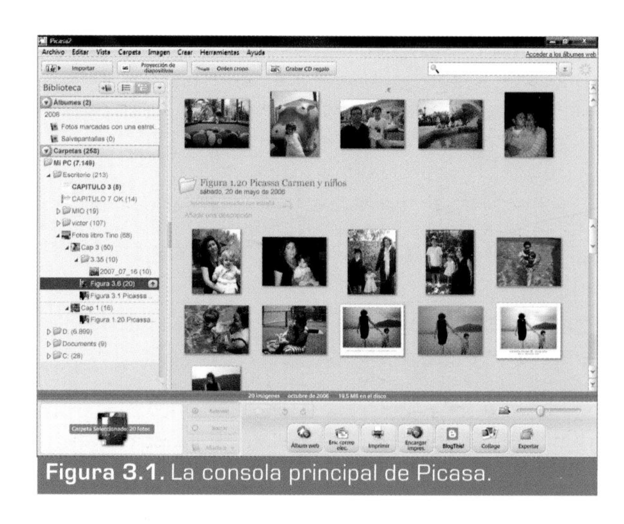

Figura 3.1. La consola principal de Picasa.

Como ya suele ser habitual en el mundillo empresarial y más en el de la informática, uno de los grandes entre los grandes decide comprarles. No el programa, sino la empresa entera. Así pues, en julio de 2004 Google adquiere Picasa y pone a disposición de todos los usuarios, de forma gratuita, su programa.

En septiembre de 2005 Google saca una nueva versión, esta vez traducida al español entre otros idiomas. Es a partir de 2006 cuando Google lanza junto a Picasa el servicio que nos ocupa y que realmente merece la pena. Se trata de "Picasa Web Albums" o lo que es lo mismo, los álbumes Web de Picasa, servicio mediante el cual podemos subir nuestras fotos a un servidor y publicarlas en páginas web personales, organizadas en álbumes de forma que podamos compartirlas con quien queramos.

En el momento de escribir este libro, Picasa va ya por su versión 2.7.0.

Descarge e instale Picasa

Picasa no es sólo un servicio de Internet. Es un programa que se descarga y se instala en nuestro PC y a través del cual accedemos a los servicios de álbum de fotos.

Para descargar e instalar en nuestro ordenador, lo más rápido, cómodo y seguro es irnos directamente a la página principal de Google. En la parte superior de la misma, encima de la barra de búsqueda, encontramos las opciones de **La Web**, **Imágenes**, **Maps**, **Noticias**, **Vídeo**, **Gmail** y **Más**.

Hacemos clic sobre el enlace **Más>todavía más** y se nos abrirá un menú con un montón de herramientas y aplicaciones creadas (o adquiridas) por la compañía, no sólo como complemento y mejora de su buscador, sino aplicaciones independientes a éste como YouTube, Blogger o el que nos ocupa ahora Picasa.

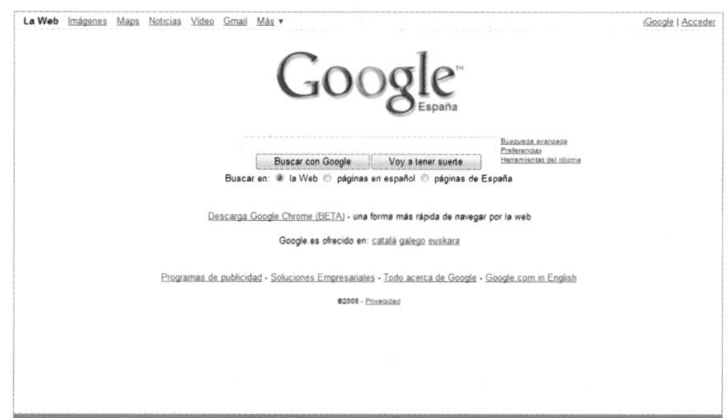

Figura 3.2. Página principal de Google (seguro que ya la conocía).

Figura 3.3. Aplicaciones disponibles de Google.

Si hacemos clic sobre **Picasa**, accederemos a una nueva página desde donde podremos descargar la aplicación, además de leer todo tipo de información sobre el programa.

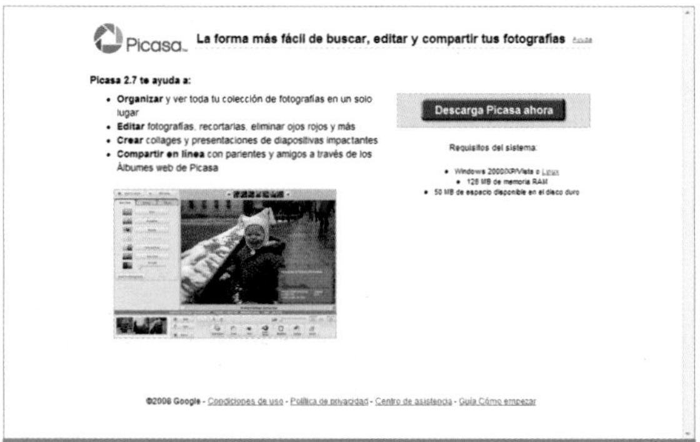

Figura 3.4. Ventana de descarga de Picasa.

Nada más pinchar en **Descarga Picasa ahora** se nos advierte de que Picasa lo primero que hará será organizarnos todas las imágenes que encuentre en nuestro ordenador. Ésta es la primera diferencia y la principal baza que tiene Picasa frente a sus competidores (nos referimos a otras aplicaciones con las que compartir imágenes por Internet), ya que como ya hemos dicho, Picasa es un excelente álbum con el que ordenar nuestras fotos por fechas, temas, etc. Y todo de forma automática.

Como es habitual, Windows nos dará la opción de ejecutar directamente la aplicación o guardar el archivo en una carpeta de nuestro ordenador. Hacemos clic en el botón **Ejecutar**.

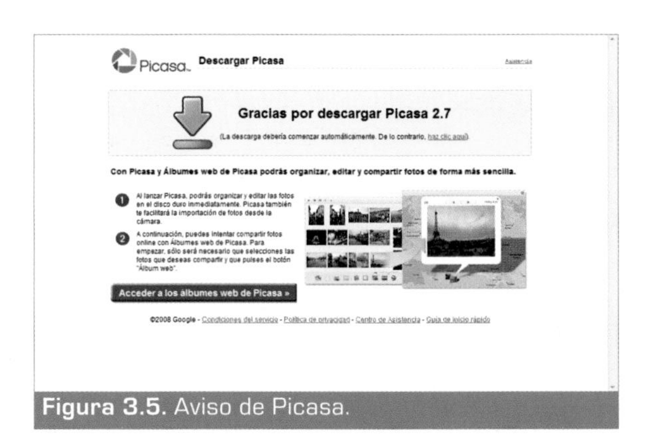

Figura 3.5. Aviso de Picasa.

Organice sus fotos en carpetas

Lo primero que hará Picasa es buscar en nuestro ordenador todas las imágenes que encuentre. Nos preguntará si queremos que lo haga sólo con las imágenes de la carpeta **Mis Imágenes**, **Mis documentos** y el **Escritorio** o con todas las carpetas de los distintos discos duros que tengamos instalados en el PC.

Si optamos por la segunda opción, tenga en cuenta que Picasa mostrará todas y cada una de las imágenes que encuentre, lo que quiere decir que le organizará en carpetas hasta el más mínimo botón o gráfico de todos los programas que tiene instalados e incluso de los que creía no tener instalados, y muchas de sus imágenes compartirán carpeta con ellas, con el incordio y la incomodidad que ello conlleva.

La parte positiva de eso es que si desea recuperar una imagen de un botón de un programa para utilizarlo para cualquier menester o guardar en su disco de forma limpia y rápida una imagen de una página Web que ha quedado alojada en temporales, no tendrá más que pinchar en ella y hacer una copia.

Haya tomado la decisión que haya tomado, nada más abrirse el programa nos encontraremos dos partes o columnas bien diferenciadas en la pantalla. En la columna de la izquierda podremos ver las carpetas con las fotografías organizadas por fecha y en la de derecha las miniaturas con las imágenes que contiene la carpeta seleccionada.

El tamaño y por consiguiente el número de miniaturas que se muestran puede ser variado deslizando de izquierda a derecha el botón de la barra que se encuentra justo bajo éstas.

El siguiente paso natural sería empezar a crear nuestros propios álbumes tematizados, pero ¿qué le parece si antes de esto hacemos unos cuantos retoques a algunas de esas fotos que andan pidiéndonoslo a gritos?

Figura 3.6. Carpetas organizadas por fecha.

Retoque sus fotos

Como ya apuntábamos anteriormente en el capítulo dedicado a "aclaraciones" sobre el presente libro, esta es una de las características que le mostraremos para que conozca su existencia y para que sepa cómo recurrir a ella cuando queramos hacer pequeños y rápidos ajustes en nuestras imágenes, pero no nos adentraremos en profundidad en el mundo del retoque fotográfico, al no tratarse exactamente del tema que nos ocupa.

Tenga en cuenta además que si llevamos a cabo una buena corrección o manipulación de la luz, el color, etc. por nuestra parte sobre las fotografías que nos encontramos manipulando, conseguiremos que éstas ganen en calidad y presencia, dándoles un aspecto profesional que siempre se agradece.

Una de las principales características de Picasa a tener en cuenta a la hora de editar o realizar este tipo de cambios sobre las imágenes es que dichos cambios nunca modificarán el original, sino que se creará una nueva imagen que sólo podrá ser vista a través del programa Picasa. Esto, lejos de ser un inconveniente, créanos si le decimos que es una ventaja, sobre todo cuando estamos dando nuestros primeros pasos, ya que no tendremos que preocuparnos por si nos hemos cargado la foto del cumpleaños de la niña al intentar quitarle esos demoníacos ojos.

Un primer paso a llevar a cabo antes de que comencemos a editar nuestras imágenes consistirá en comprobar el estado de sus propiedades. Si estas han sido tomadas mediante cámaras con código EXIF, es decir, prácticamente todas las digitales, podremos ver datos como el tamaño de la imagen, tipo y modelo de la cámara, fecha en la que fue tomada, si se utilizó o no flash, foco, diafragma, apertura, velocidad y un largo etcétera. Para ello bastará con que nos situemos sobre la imagen elegida, pulsemos el botón derecho de nuestro ratón y elijamos la opción **Propiedades**.

Figura 3.7. Eligiendo la opción Propiedades de una foto.

Figura 3.8. Propiedades de una fotografía.

Si deseamos conocer propiedades avanzadas tales como el histograma de la fotografía, basta con que una vez seleccionada la imagen con un doble clic pulsemos el icono de la gorrita con la hélice.

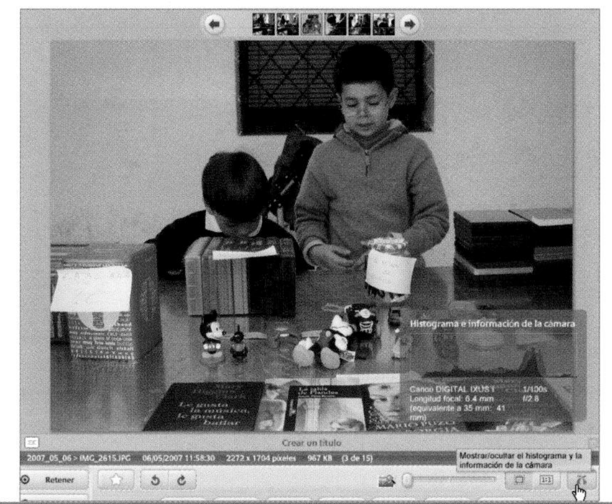

Figura 3.9. Mostrar/Ocultar el histograma.

Como habrá podido comprobar, al seleccionar una imagen y ampliarla en la parte de la izquierda, la lista de carpetas es sustituida por una nueva consola donde se nos muestran todos los cambios y mejoras que podemos hacer sobre la imagen seleccionada.

En la primera pestaña encontramos las opciones para llevar a cabo arreglos básicos: recortar la imagen, enderezarla, eliminar los ojos rojos, la corrección del contraste de forma automática y lo mismo para el color. También podemos variar el brillo de la foto simplemente deslizando el botón inferior a través de la barra. Y para el final hemos dejado una opción con un nombre que ya nos suena a algo común dentro del universo Google: "Voy a tener suerte". Al igual que al hacer una búsqueda con Google esta opción permite que sea "él" quien nos lleve a una página determinada, en este caso permitimos que sea Picasa quien haga todos los ajustes necesarios a su gusto.

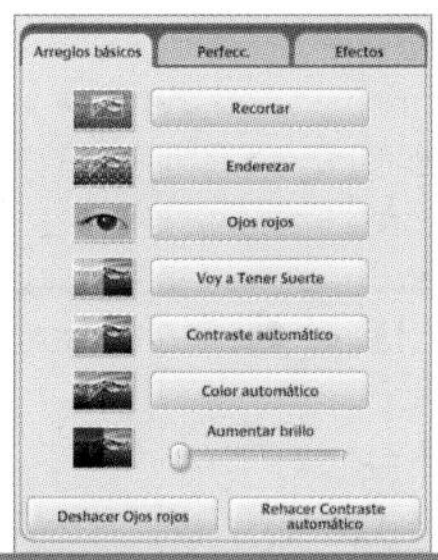

Figura 3.10. Opciones de retoque fotográfico.

Ahora, si le parece bien, nos detendremos un momento en la función que más nos puede llamar la atención por la facilidad de su uso y los buenos resultados que da: el de corregir los molestos ojos rojos a consecuencia de la reflexión del Flash sobre el iris del ojo.

La maniobra es bien sencilla. Para eliminar el reflejo rojo bastará con que pulsemos sobre el recuadro **Ojos rojos**. Sobre el menú aparecerán las instrucciones a seguir para eliminar el rojo de los ojos. Sitúe el puntero del ratón sobre la superficie que quiera retocar, pinche y arrastre. La imagen quedará ensombrecida con una capa a excepción del recuadro que vayamos abriendo, que dejará ver las tonalidades originales de la misma con la eliminación del color rojo.

Figura 3.11. La función de ajuste de ojos rojos.

La segunda pestaña nos da la oportunidad de jugar con la "luz" de la fotografía, creando efectos de luz de relleno, dándole más brillo a los fondos, variando la luz sólo en puntos concretos de la misma o aplicándole sombras. También podemos modificar la temperatura de color.

Y por último, en la tercera pestaña se encuentran todos aquellos efectos que podemos aplicar con un simple clic de nuestro ratón. Al seleccionar cualquiera de ellos, ya podemos ver a simple vista cómo cada uno de los efectos modificarán nuestra fotografía: convirtiéndola a blanco y negro o sepia, desenfocándola o saturando su color entre otras opciones.

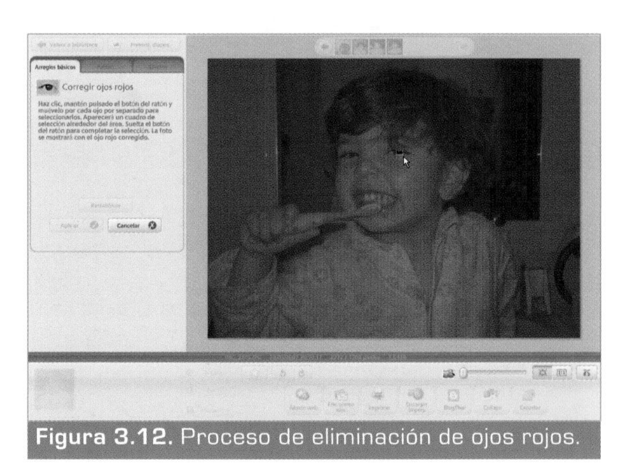

Figura 3.12. Proceso de eliminación de ojos rojos.

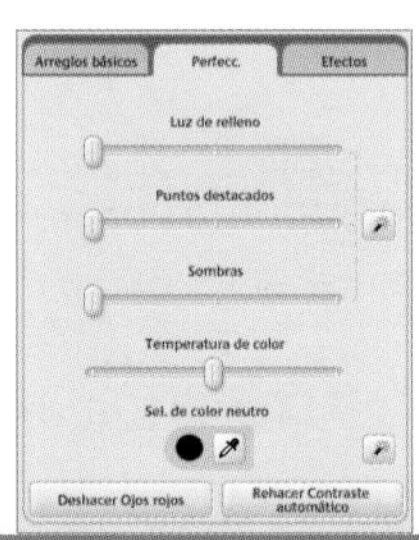

Figura 3.13. Opciones de retoque de la luz.

Figura 3.14. La paleta de efectos.

En algunos casos podremos variar los valores de estos efectos, pudiéndoles aplicar mayor o menor grano, mayor o menor saturación, etc. La figura nos muestra cómo el efecto **Tono graduado** nos permite especificar la cantidad de esfumado y la tonalidad a aplicar.

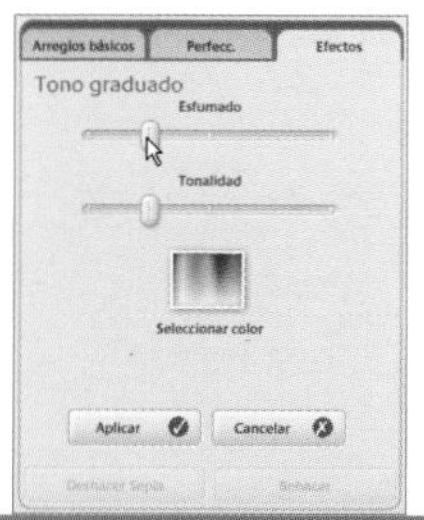

Figura 3.15. Opciones del efecto Tono graduado.

Hasta aquí los primeros ajustes que podemos realizar con las imágenes que Picasa ha detectado tras su instalación pero, ¿qué pasos debemos seguir si queremos incorporar nuevas fotografías a nuestro ordenador?

Importe sus imágenes a través de Picasa

En el primer capítulo de este libro se han mostrado varias formas de importar nuestras imágenes al ordenador, bien a través de Windows, bien a través de un programa específico de la propia cámara, de un escáner o a través de cualquier programa de retoque fotográfico, y Picasa no iba a ser menos. Para ello seleccionamos el botón **Importar** de la barra superior.

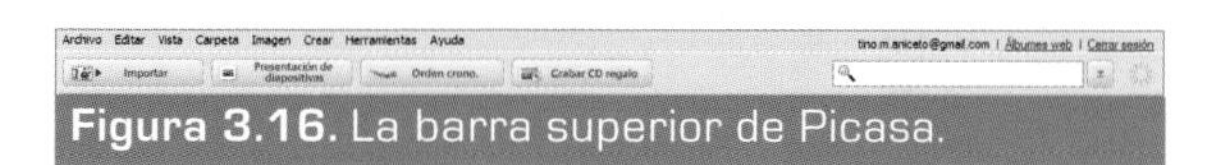

Figura 3.16. La barra superior de Picasa.

Una vez seleccionado, Picasa abrirá un menú con los distintos dispositivos que haya encontrado como son la cámara digital o el escáner.

Figura 3.17. Selección del dispositivo desde el que importar fotos.

Si seleccionamos importar desde nuestro escáner, al igual que con cualquier otro programa de retoque fotográfico, abrirá el programa de escaneo que hayamos instalado junto con el dispositivo. A partir de ahí seguiremos los pasos habituales de manejo de nuestro escáner que ya se describieron en el capítulo 1.

Figura 3.18. Picasa importando desde un escáner.

Una vez terminada de escanear, la imagen se incorpora a la consola de Picasa. Si escaneamos varias fotos a la vez utilizando la opción de escaneo por tandas del escáner, aparecerán todas y cada una de ellas, pudiéndolas seleccionar a continuación para editarlas o guardarlas.

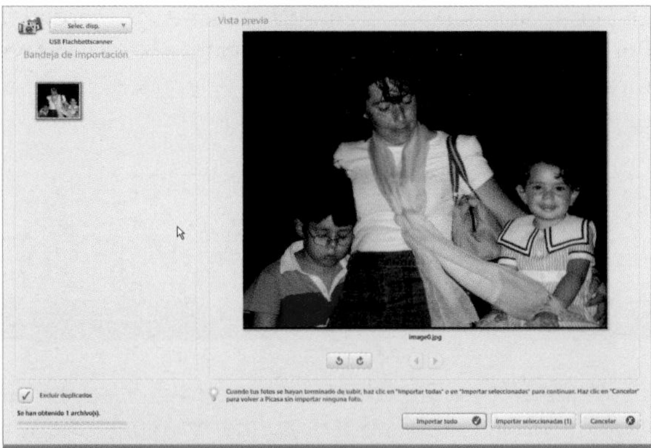

Figura 3.19. La imagen escaneada, lista para trabajar con ella.

En lo que se refiere a la captura de las fotografías de nuestra cámara digital, el proceso es similar. Seleccionamos el dispositivo de entrada, es decir, nuestra cámara de fotos conectada al PC y, tras establecer comunicación con ella, nos mostrará las imágenes que se encuentran en su tarjeta. Ahora sólo tendremos que seleccionar todas aquellas imágenes que queramos importar.

Creación de álbumes

Picasa es un potente organizador automático de todas y cada una de nuestras imágenes y como ya hemos visto, lo hace tomando como referencia la fecha en la que la imagen fue tomada, escaneada o creada. Pero también puede organizar nuestra colección con otros criterios, como los cambios recientes, el tamaño de la imagen o su nombre, según decidamos.

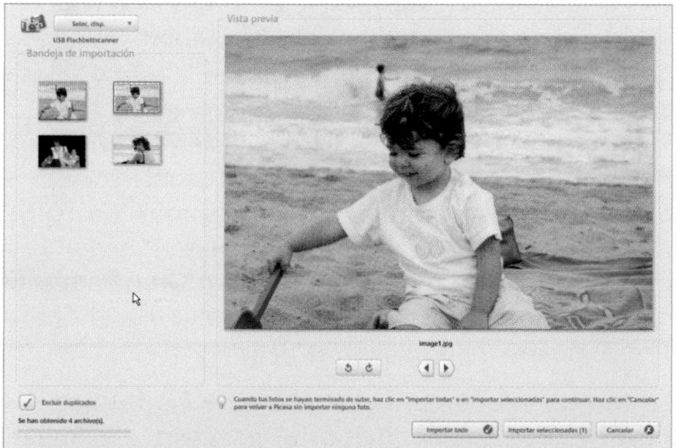

Figura 3.20. Importando desde la cámara digital.

El caso es que seguramente nos encontremos con cientos de carpetas en las que en muchos casos sólo se hallen una o dos imágenes y con una serie de números (fechas) que con el tiempo no nos digan nada. Y llegados a este punto, más de uno (y de dos) pensará que, en el fondo, esta no es una forma muy cómoda de localizar una foto en concreto. Por lo general, no recordamos la fecha exacta en la que se tomó, pero sí dónde o en qué periodo estival. Así pues, podemos crear álbumes con el tema que prefiramos y meter dentro de éste todas las fotos que corresponda.

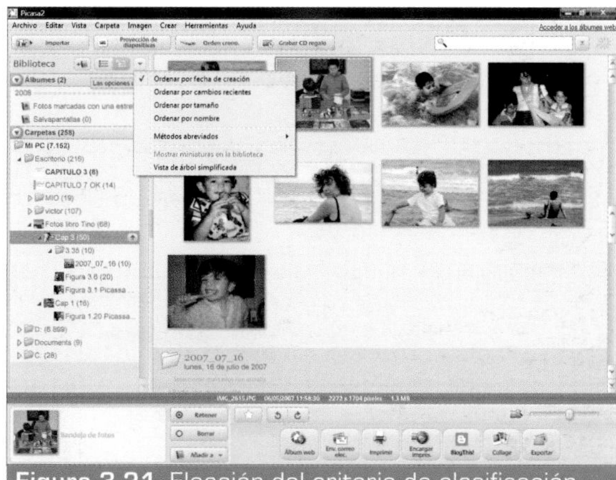

Figura 3.21. Elección del criterio de clasificación de las fotografías en carpetas.

Una aclaración para los que les preocupe o anden escasos de espacio en su disco duro. Lo que no hace Picasa en ningún momento es cambiar nuestras imágenes de sitio, reagrupándolas en estas nuevas carpetas o duplicándolas cada vez que las incluyamos en un nuevo álbum. Picasa, al igual que hiciera al organizarlas por fechas, crea vínculos entre la imagen y la nueva carpeta pero sin tocar para nada la foto original ni su ubicación en el disco. De esta forma, nada nos puede impedir crear cientos de álbumes con etiquetas tan variadas como "amaneceres", "parques de atracciones", "comidas", "coches", "animales", "colores", etc.

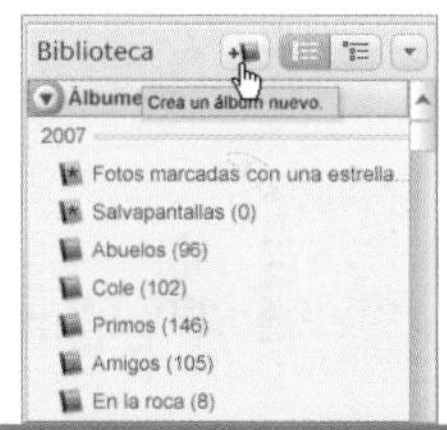

Figura 3.22. Ejemplos de álbumes.

El proceso para crear estos álbumes es muy sencillo. Basta con que pinchemos sobre el icono **Crea un álbum nuevo** para que se nos abra una ficha, que deberemos rellenar para poder identificar posteriormente el álbum.

Figura 3.23. Propiedades de un álbum.

Una vez hayamos aceptado, veremos cómo nos aparece un nuevo álbum con el nombre elegido dentro de la ventana de álbumes. Ahora bastará con que seleccionemos las fotos que queremos que formen parte de ese álbum, arrastrándolas hasta él o pinchando sobre la imagen elegida con el botón derecho del ratón y eligiendo la opción Añadir a álbum, donde se desplegará una nueva ventana con el nombre de los distintos álbumes creados hasta el momento.

Y esto es todo. Ya podemos disfrutar de nuestras fotos a toda pantalla organizando estupendos pases de diapositivas de cada uno de los álbumes, según nos los vaya pidiendo nuestro estado de ánimo. Para activar esta función, simplemente pulse sobre el botón **Presentación de diapositivas** de la barra superior.

Figura 3.24. Un pase de diapositivas.

Desde la propia presentación podremos modificar la velocidad del pase o la posición de la imagen. Esta barra se hará visible con sólo mover el puntero del ratón por la parte inferior de la pantalla, por lo que tendremos que abstenernos de tocarlo para disfrutar plenamente de nuestras fotos.

Viendo lo espectacular de nuestro pase de diapositivas puede que nos apetezca grabarlo para regalarlo o verlo en cualquier otro ordenador. No hay problema. Picasa nos da la opción de crear un CD de forma automática.

Figura 3.25. Opción de creación de un CD regalo.

De una forma igual de fácil podemos seleccionar una imagen e imprimirla.

Figura 3.26. Opciones de imprimir fotografías.

Pero no hemos llegado hasta aquí sólo para ver nuestras fotos sentados frente al ordenador, sino que queremos que éstas sean vistas por todos nuestros amigos y familiares sin necesidad de tenerles apelotonados frente a nuestra pantalla. Ha llegado el momento de subirlas a la red.

Suba sus álbumes a Internet

Subir fotos a Internet no es tan difícil como la gente piensa, pero de ahí a hacerlo con un solo clic... Se pueden subir las fotos, pero hay una serie de pasos y requisitos que hay que cumplir y la primera es estar convenientemente registrado.

Abra su cuenta en Gmail

Como Picasa pertenece a Google, el requisito básico es estar registrado y, por lo tanto, tener abierta una cuenta de correo electrónico con ellos. Lo bueno es que una vez obtengamos una cuenta en Google, ésta nos servirá para sus otros servicios, tanto presentes como futuros. Con esa cuenta podremos acceder, entre otros, al correo electrónico con **Gmail**, creación de Blogs con **Blogger**, agenda con **Calendar** o mensajería instantánea con **Talk**.

Como curiosidad le podemos contar que Gmail nació justo en el momento que otras empresas como Microsoft empezaban a recortar su servicio de correo gratuito Hotmail, aludiendo saturación y falta de espacio y anunciaba que en breve habría que pagar por recibir este servicio. Google no sólo lo dio gratis, sino que empezó dando una giga de memoria para almacenar allí lo que quisiéramos. En principio sólo se podía acceder a él mediante invitación, pero hace poco más de año y medio abrió este servicio a todo el que quisiera. En este momento ya están ofreciendo casi tres gigas y prometen ir en aumento. Como imaginará, no le quedó más remedio a sus competidores que igualar tal oferta.

Así que vayamos directamente a la página principal de Gmail. Bien tecleando la dirección web de Internet http://mail.google.com o bien como ya hemos visto a través del menú de aplicaciones y servicios de Google.

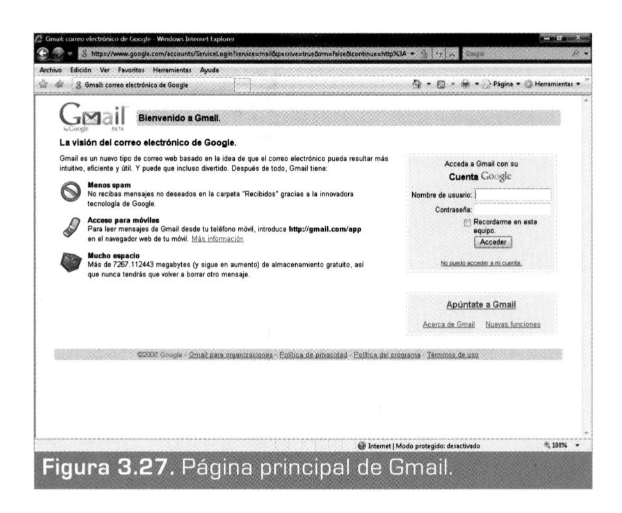

Figura 3.27. Página principal de Gmail.

Hacemos clic sobre el enlace **Apúntate a Gmail** y rellenamos el consiguiente formulario con nuestro nombre y apellidos (o con el que queramos que aparezca, que nadie nos obliga a decir la verdad por Internet) y el nombre del registro de nuestra cuenta. Este nombre no puede estar repetido, por lo que se nos da la oportunidad de comprobar si ya está siendo usado o no por otra persona antes de continuar. También podremos seleccionar una pregunta por si olvidásemos nuestra contraseña en algún momento.

Figura 3.28. Formulario de registro en Gmail.

Si se está preguntando para qué sirve lo de la validación de la palabra que tanto aparece últimamente a la hora de rellenar distintos formularios en la red, no es más que un una traba que colocan para evitar que sistemas automatizados creen miles de cuentas o puedan acceder a distintas cuentas a base de ir probando distintas combinaciones. Aceptamos las condiciones de uso y ya podremos empezar a usar nuestra cuenta de correo Gmail (figura 3.29).

Suba sus álbumes

Lo primero que tenemos que pensar es si queremos subir un álbum ya existente o crear un nuevo álbum en el servidor de Picasa. Sea como sea el primer paso siempre será el mismo. Haremos clic sobre el icono de **Álbumes web** o en la parte superior derecha de la pantalla. Si no hemos iniciado la sesión con nuestro nombre de usuario, aparece el vínculo **Acceder a los Álbumes web** pidiéndonos nuestro nombre de usuario y contraseña (figuras 3.30).

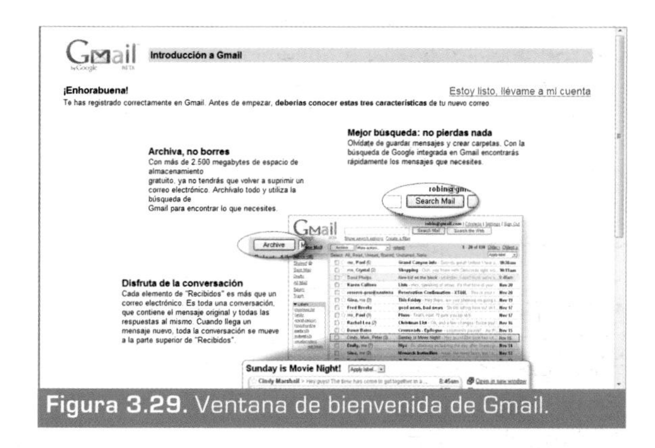

Figura 3.29. Ventana de bienvenida de Gmail.

Veremos que el programa ya ha establecido comunicación porque ahora aparecerá en esa misma esquina derecha nuestro nombre de usuario junto al enlace **Álbumes web**. Si volvemos a hacer clic sobre éste, se nos abrirá nuestro espacio personal, que como es evidente aparecerá vacío en un primer momento. Se nos ofrecen tres opciones: **Mis fotos**, **Mis favoritos** y **Mi galería pública**.

En la primera, **Mis fotos**, es donde quedarán alojados los álbumes que marquemos como privados.

La segunda, **Mis favoritos**, es donde podrá ir añadiendo a otros usuarios, por ejemplo amigos suyos, de los que quiera conocer el estado de sus álbumes.

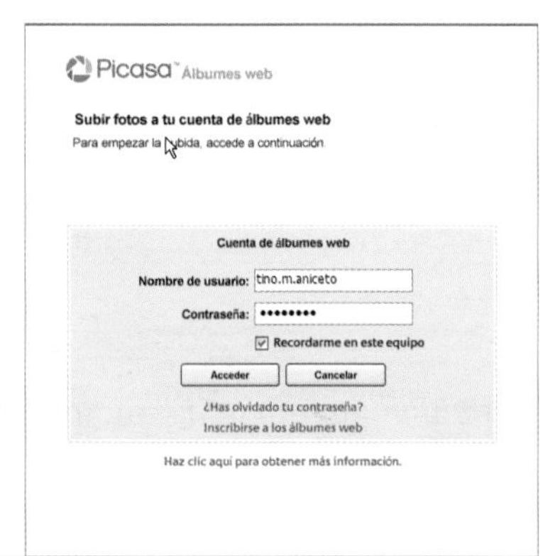

Figura 3.30. Pantalla de entrada a los álbumes web Picasa.

Y por último, "Mi galería pública", donde quedarán alojados los álbumes y fotos que quiera compartir con toda la comunidad. Como veremos, también podremos subir fotos desde esta página, pero mejor volvamos al principio y empecemos por aprender a subir nuestras fotos desde el propio programa.

Para subir un álbum de los que ya tenemos creados bastará con seleccionar y pulsar sobre el icono **Álbum web**.

Figura 3.31. La barra de aplicaciones de Picasa.

Inmediatamente se nos abrirá una nueva ventana pidiéndonos que le indiquemos si queremos añadir las fotos a un álbum ya existente o crear uno nuevo. Como podemos, ver el programa le asigna de forma automática a ese álbum el mismo nombre con el que lo hemos llamado nosotros.

En el caso de que ya tengamos más álbumes subidos y decidamos añadir las fotos a uno ya existente, podremos desplegar la lista de los que tenemos pinchando sobre el icono de la barra del nombre del álbum.

Seguidamente podemos añadirle algún tipo de descripción. Más tarde decidiremos con qué calidad queremos subir las fotos. Y esto es como siempre, cuando más alta sea la calidad de la imagen mayor será el archivo, más tardará en subir y más espacio ocupará. De momento, Picasa nos ofrece gratis 1Gb y promete ir subiendo este número, pero de momento esto es lo que hay. Si desea más espacio hay que pagar.

Nosotros le recomendamos que seleccione la opción **Optimizado** que es el tamaño más grande que admite para una subida rápida. En este tamaño podrá subir unas 2.000 fotos sin problemas y con una resolución más que puedan ser impresas en el tamaño estándar de 10x15 cm.

La última decisión que deberemos tomar antes de aceptar tiene una especial importancia, ya que de ésta dependerá quién pueda ver nuestras fotografías. Si marcamos la opción Público, cualquier usuario que visite nuestro espacio o dirección podrá verlas y descargárselas, mientras que si marcamos No se encuentra en la lista, sólo podrán verlas aquellas personas que nosotros decidamos previamente.

Figura 3.32. Opciones para subir un álbum.

En el momento que pulsemos **Aceptar** nos aparecerá una pantalla en la que se nos mostrará el estado del proceso de subida de nuestras imágenes, cuántas hemos subido y cuántas nos quedan por subir, pudiendo pausar la subida o cancelarla en cualquier momento.

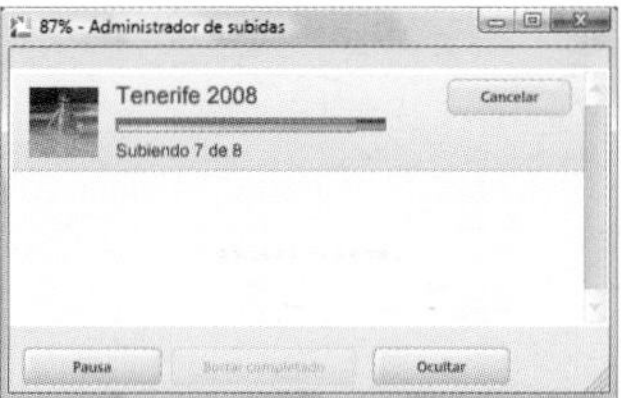

Figura 3.33. Ventana de progreso de la subida a Internet.

En cuanto finalice la subida de todas las imágenes el contenido de la ventana cambiará para indicarnos si queremos borrar el registro o ver cómo ha quedado dicha subida conectándose a nuestro espacio web. El botón **Borrar** no elimina las fotos, sólo el registro del proceso de subida.

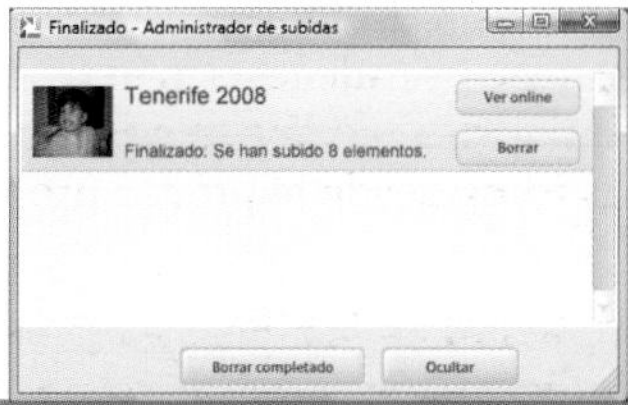

Figura 3.34. Pantalla final del proceso de subida.

Lo mejor es que marquemos sobre la opción **Ver online** y comprobemos de un vistazo si se ha producido algún error durante la subida y si están todas las imágenes que pretendíamos subir.

Al hacerlo nos mostrará única y exclusivamente el contenido del álbum que habíamos seleccionado como destino. Éste no es el fin del proceso, pues aún puede, si lo desea, realizar bastantes ajustes: elegir una portada o "tapa" para su álbum (si no elige una tapa, tomará como referencia la primera imagen del álbum), ordenar las imágenes de forma distinta a cómo han quedado tras la subida, darles un nombre, escribir un comentario sobre cada una de ellas, eliminar alguna o subir más fotos. También nos da la opción de descargarnos el álbum entero, pero seguro que esta opción la deja para cuando visite el álbum de otra persona y no el suyo propio.

Comparta sus álbumes: Álbumes públicos y álbumes privados

Desde el principio, al crear un álbum se nos pregunta si queremos que sea **público** o **sin listar**, es decir, privado, de forma que sólo puedan verlo las personas que elijamos.

Pero debemos decir también que esta es una decisión de la que podemos arrepentirnos en un momento u otro, porque siempre podremos cambiar esta característica. Bastará con que pinchemos sobre el álbum al que queremos aplicar los cambios. Se abrirá mostrándonos las fotos a la derecha y una serie de opciones a la izquierda. Seleccionamos **Editar propiedades del álbum** y seguidamente marcamos la casilla que corresponda.

Figura 3.35. Ajustes del álbum.

Ya tenemos nuestro álbum con la condición de **Sin listar** o privado. Nadie más que nosotros podrá verlo ¿o no? Pues claro que no. Al marcarlo como no listado evitamos que nuestras imágenes "naveguen" libremente por Internet y que miradas indiscretas se fijen en ellas, pero no por ello podrán dejar de verlas aquellos "elegidos" que queramos que las disfruten y nos hagan llegar sus comentarios. Para ello bastará con enviarles una invitación.

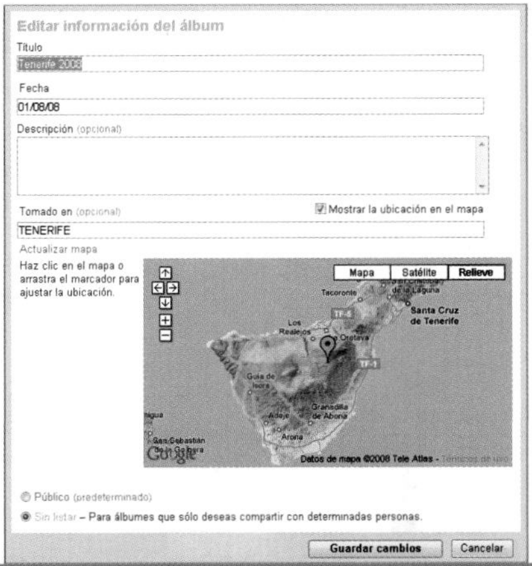

Figura 3.36. Ventana de propiedades del álbum.

Figura 3.37. Visor de fotografías.

Envíe invitaciones

Lo primero es decidir si queremos enviar una foto del álbum que hemos creado o por el contrario enviarles todo el álbum.

Si queremos enviarles una determinada fotografía, entraremos en el álbum en el que se encuentre y haremos clic sobre ella. Inmediatamente se nos abrirá la foto y con ella una serie de opciones como la de poder ir pasando por las distintas fotos en tamaño grande, girarlas para cambiar su posición, compartirlas o ampliarlas.

Enviar una invitación es tan sencillo como hacer clic sobre la opción de **Compartir foto**, lo que nos abrirá una ficha de correo en la que tendremos que completar a quién va dirigido, tecleando su dirección de correo y el mensaje que queramos transmitirle junto a la invitación.

La persona a la que hayamos enviado la invitación recibirá en su correo electrónico un mensaje como el que mostramos en la siguiente imagen. Para ver la foto no tendrá más que pinchar sobre la misma o sobre el vínculo que le llevará hasta nuestra página web de Picasa.

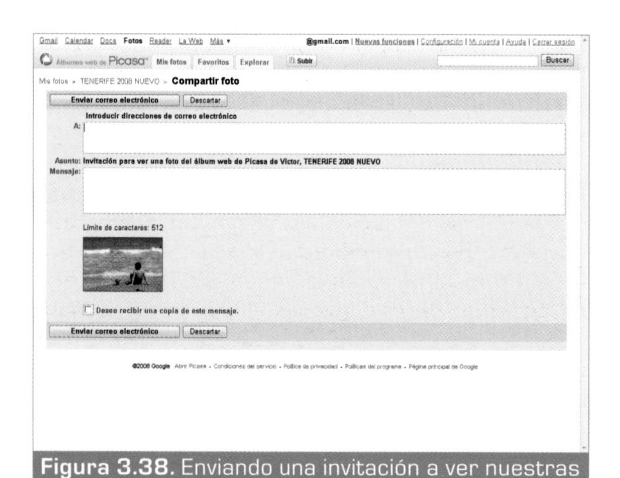

Figura 3.38. Enviando una invitación a ver nuestras fotografías.

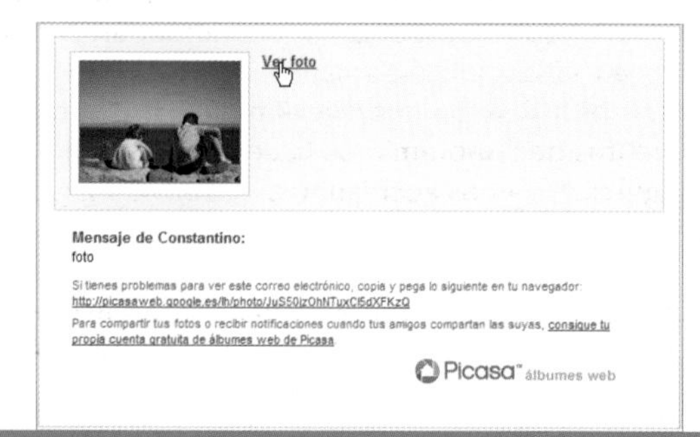

Figura 3.39. Mensaje que reciben nuestros "invitados".

Algún fallo tenía que tener el programa y debemos saber que la persona invitada al ver una foto podrá, si lo desea, ver todas las de ese álbum. Ojo con esto.

Si por el contrario nuestra intención realmente es que vean el álbum entero, bastará con que abramos el álbum que queremos enviar y hagamos clic sobre **Compartir álbum**. El proceso a seguir es exactamente el mismo que cuando enviamos la fotografía, con la diferencia de que el destinatario de nuestra invitación recibirá como imagen la portada del álbum que queremos que vea y dos opciones bien distintas para disfrutar de ellas:

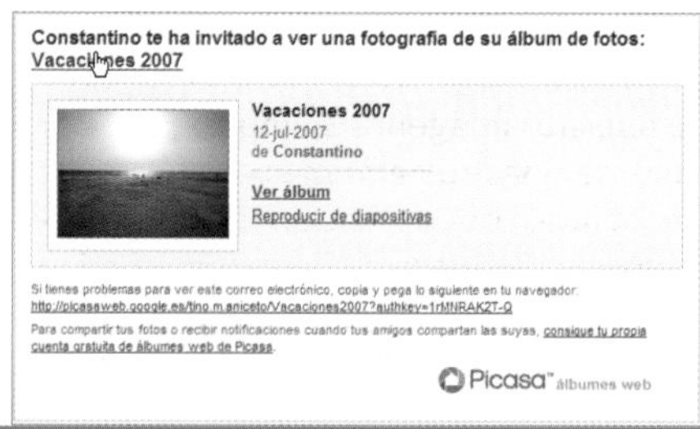

Figura 3.40. Mensaje que reciben los invitados al ver un álbum.

Puede hacer clic sobre **Ver álbum** y ver una muestra en miniatura de todas las fotos que lo componen o puede optar por verlas como pase de diapositivas haciendo clic sobre **Reproducir diapositivas**.

Figura 3.41. Pase de diapositivas web.

Nosotros también contamos con esta opción para disfrutar de nuestras imágenes siempre que estemos dentro de uno de nuestros álbumes. Por descontado que hay que aclarar que el buen funcionamiento del reproductor de diapositivas dependerá de la calidad y velocidad de nuestra conexión ADSL, ya que cada imagen ira siendo descargada desde el servidor de Picasa.

Panoramio

Como veremos en el siguiente capítulo, Flickr (el otro gran servicio para compartir fotos en la red) ofrece un - no sabemos si decir interesante pero desde luego sí curioso - entretenido y divertido añadido que consiste en situar nuestra foto en el mundo. Sobre un enorme mapa del mundo en el que podemos acercarnos, vía satélite, hasta el lugar donde tomamos la foto y dejarla "pinchada" ahí.

Picasa carecía originalmente de esta herramienta, así que una vez más Google vuelve no sólo a comprar la idea, sino toda una empresa con ella. En esta ocasión la idea y la empresa son totalmente "made in Spain", en concreto de dos jóvenes alicantinos y, aunque desde el principio esta herramienta necesitaba de Google Earth para funcionar, no fue hasta julio de 2007 cuando se cerró la venta de la empresa.

La aplicación se denomina Panoramio y podemos acceder a ella bien desde su propia página web o bien instalando un programa que se integra en Google Earth. Antes aparecía en Google Earth como Panoramio, pero desde su adquisición aparece integrado en la opción Geographic Web y, en vez de indicarnos la fotografía sobre el mapa con la rosa de los vientos de Panoramio, lo hace con un punto azul o, según nos vamos acercando a él, con la imagen de una cámara de fotos.

Para subir las fotos y verlas en el mapa o desde Google Earth es tan fácil como pulsar en el enlace **Subir fotos** y seguidamente colocarlas sobre el mapa con un sencillo movimiento de arrastrar la foto hasta el lugar en la que la tomamos. Como ya habrá imaginado, para usar este servicio hay que estar previamente registrado.

Figura 3.42. Ventana de bienvenida de Panoramio.

Figura 3.43. Fotografías en Panoramio.

Para registrarnos simplemente haremos clic sobre el enlace **Registrarse** que se encuentra en la parte superior derecha de la página de inicio. Se encuentra justo al lado de **Entrar**, opción que usaremos cada vez que queramos iniciar nuestra sesión en Panoramio, salvo que hayamos elegido que nuestro PC guarde la configuración. A diferencia de otras aplicaciones o servicios de Internet, Panoramio sólo nos pedirá una dirección de correo, un nombre de usuario y una contraseña.

Figura 3.44. Registro de usuarios.

Es más tarde cuando, entrando en **Configuración**, podamos, añadirle datos que enriquezcan nuestro perfil, con el fin de darnos a conocer a los demás usuarios a la hora de compartir nuestras imágenes.

Una vez registrados, lo siguiente que deberemos hacer es subir nuestras fotos al espacio que tenemos reservado en el servidor. Para ello pulsamos sobre el enlace **Subir fotos** que se encuentra en la barra superior de la página web o pulsamos sobre el enlace de la página principal. Ahora sólo tendremos que seleccionar las fotos desde nuestro disco duro.

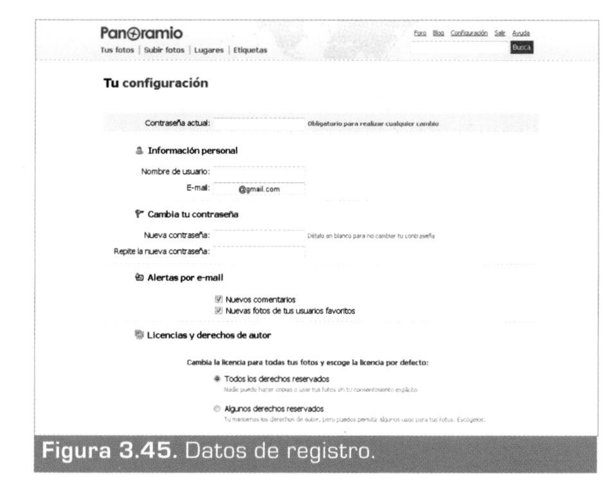

Figura 3.45. Datos de registro.

Si deseamos subir más de una foto, no hace falta que esperemos a que termine de subir la primera, sino que simplemente iremos seleccionando nuevas imágenes. Dado que hoy por hoy Panoramio nos impone un límite de 2Gb, las fotos son redimensionadas automáticamente para que ocupen el menor espacio posible, sin pérdida apreciable de calidad. También tenemos la opción de subirlas en su tamaño original, siempre que no superen un máximo de 5MB.

Figura 3.46. Selección de fotos para subir.

Cuando hayan terminado de subir todas las fotos, ya podremos pulsar el botón **Terminar**.

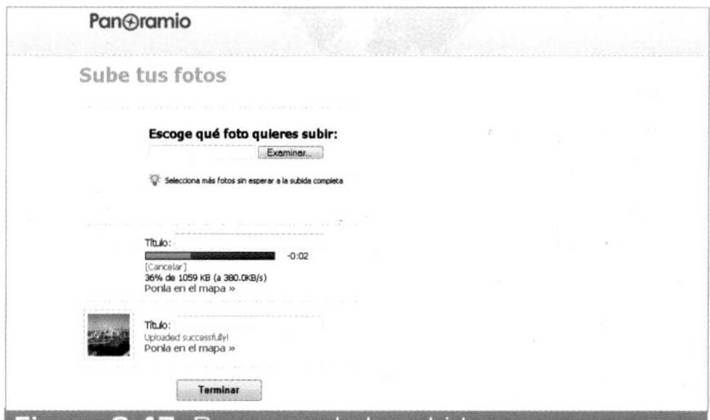

Figura 3.47. Progreso de la subida.

Al terminar de subir las imágenes, nos aparecerán ordenadas en orden inverso a la subida, es decir, que la primera foto será la ultima que hayamos subido. Los campos de título se muestran vacíos para que procedamos a darle un nombre a cada fotografía.

A partir de este momento podemos ya situarlas en el mapa haciendo clic sobre **Ponla en el mapa**. Esta acción nos abrirá un nuevo dialogo en el que se nos pide que concretemos una ciudad o un lugar. Podemos optar por introducir el nombre del lugar, navegar directamente por el mapa o escribir directamente las coordenadas, algo reservado a los usuarios de GPS. Así pues, llegaremos hasta el lugar utilizando dos caminos: indicando el nombre del sitio y, concretándolo, buscando el lugar exacto en el mapa. Al pulsar **Siguiente** se desplegará una lista con los diferentes lugares que poseen ese mismo nombre.

Una vez que hayamos marcado el país o región al que corresponde exactamente ese lugar, se generará un mapa con una foto satélite de la región o del lugar que hayamos señalado. Al objeto de colocar la foto lo mas exactamente posible en el lugar desde donde se tomó, iremos haciendo zoom sobre la imagen haciendo clic sobre los símbolos **+** y **-** según queramos acercarnos o alejarnos. También podemos movernos por el mapa pulsando sobre las flechas de dirección que se encuentran sobre la imagen. Se puede cambiar el aspecto con el que se nos muestra el lugar, eligiendo entre **Mapa**, **Satélite** que no es más que una imagen tomada desde un satélite con suficiente resolución como para acercarnos a ver con perfecto detalle (según zonas) los edificios fotografiados, e **Híbrido** donde se combinan las imágenes del satélite con los datos de los mapas.

Figura 3.48. Especificando el nombre del lugar.

Si deseamos situar más de una foto en el mismo lugar no necesitamos volver a introducir los datos o buscarla, ya que el sistema recuerda el lugar de las imágenes "mapeadas" anteriormente. Y un apunte más, si usted es uno de los afortunados que posee un GPS con cámara incorporada, grabará entre sus datos EXIF las coordenadas de la imagen. En este caso no tiene más que descargarla, del resto ya se encarga Panoramio.

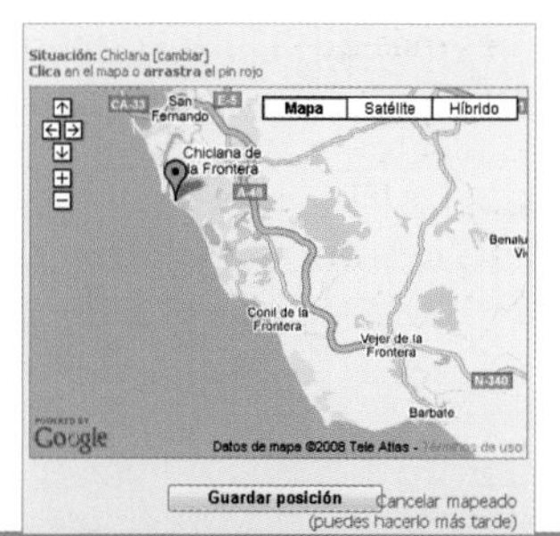

Figura 3.49. Ubicación de nuestra fotografía.

Nos parece conveniente hacer hincapié sobre una afirmación que hemos hecho en el párrafo anterior. Debemos pinchar nuestra imagen lo más exactamente posible sobre el lugar desde el que se tomó la instantánea y no sobre el lugar que se fotografía. Esto es algo que piden los creadores de Panoramio con el fin de que cuando alguien se decida a ir a visitar el lugar pueda reconocerlo fácilmente o tomar nuevas imágenes de ese sitio, lo que permite observar distintos cambios en el tiempo.

Ahora podemos ver nuestras imágenes pinchando sobre el enlace **Mapamundi**, donde junto a una fotografía vía satélite de toda la tierra aparecerá una muestra de las fotos mas "votadas" y el número de fotos que en total se encuentran alojadas en esta categoría. Junto a la pestaña **Populares** se encuentra **Todas** y, como su nombre indica, aquí encontrará todas y cada una de las imágenes que se han subido hasta ese momento. Es absurdo que le demos una cifra, ya que para cuando usted lea este libro puede haberse duplicado este número. Lo mejor es que entre y lo vea usted mismo.

Figura 3.50. Nuestras fotos georreferenciadas.

Finalmente, tenemos una tercera pestaña donde se encuentran nuestras imágenes, bajo el nombre **Tus fotos**. Aquí no encontrará todas las que ha subido, sino sólo las que ha "mapeado" y que aparecerán resaltadas sobre el mapamundi de la derecha. Podemos acercarnos hasta el mismísimo lugar en que se tomaron, simplemente moviendo la rueda de nuestro ratón.

Como observará, en el lugar donde se encontraba su imagen ahora aparecerá un enlace por si quiere colocar su foto sobre Google Earth.

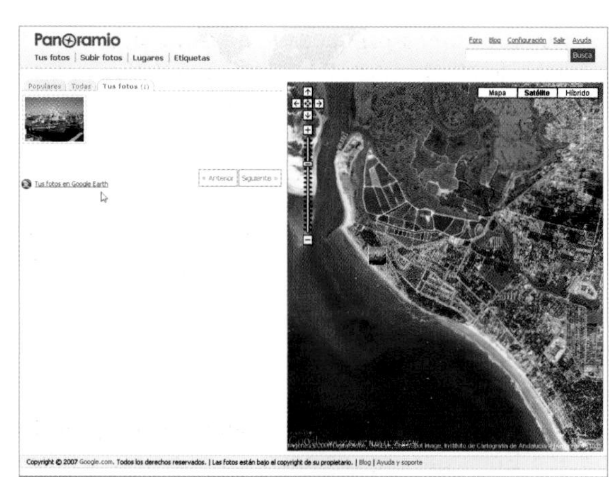

Figura 3.51. Acceso a las fotos que hemos georreferenciado.

Al pinchar sobre el enlace le pedirá permiso para instalarle en el PC un pequeño archivo que se incluirá en la aplicación. Obviamente, deberá tener previamente instalado Google Earth en su PC, que se descarga de la propia web de Google. De esta forma podrá marcar la opción de ver únicamente sus fotos directamente sobre Google Earth, o bien ver todas las que ha ido subiendo la gente en sus viajes por el mundo.

Y ya sólo le queda esperar que le lleguen cientos de miles de comentarios sobre su fotografía. El lugar o lo que se le ocurra a quien quiera que la esté viendo.

Por cierto , no olvide leer detenidamente las normas de Panoramio respecto a su política de subida de imágenes, ya que puede encontrarse con la sorpresa de que su imagen no llegue a subir nunca o sea retirada en un breve espacio de tiempo. Nada de personas, mascotas o vehículos "posando", entre otras.

Figura 3.52. Nuestra foto, en Google Earth.

Revele sus fotos vía Internet con Picasa

Ya mencionamos en el capítulo anterior que otra de las opciones para poder compartir sus fotografías era la clásica entre las clásicas: sacar una copia en papel.

Desde hace tiempo existen muchos y variados servicios de "revelado" por Internet y sólo de usted dependerá elegir el que más se ajuste a sus exigencias, tanto de precio como de calidad, además de velocidad y comodidad del servicio.

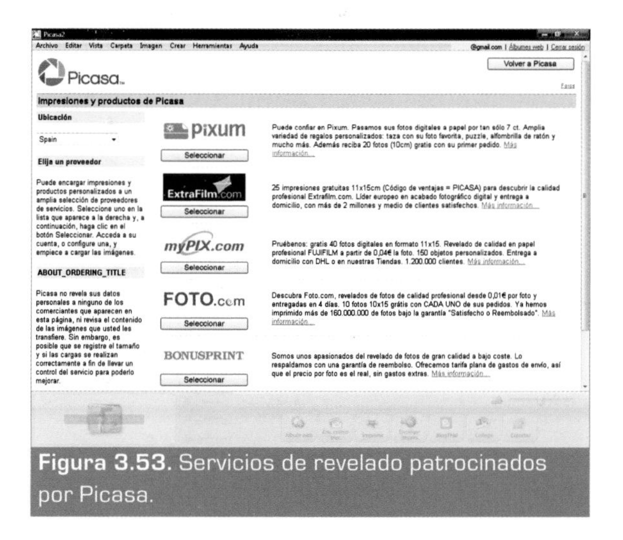

Figura 3.53. Servicios de revelado patrocinados por Picasa.

Nosotros estamos especialmente contentos con el servicio de HP *Snapfish*. Pero a la hora de la verdad, entre las "grandes" hay pocas diferencias.

Todas nos ofrecen la posibilidad de, tras registrarnos, subir las fotografías a través de su página web hasta su servidor para posteriormente ser reveladas y enviadas a nuestra casa por correo. Muchas de ellas la que nos ofrecen pequeños programas que se instalan en nuestro ordenador para subir de forma rápida y cómoda gran numero de imágenes.

Picasa, dentro de sus herramientas, dispone de la opción **Encargar Impresiones**. Lo que hace es darnos a elegir entre distintas empresas de revelado, todas ellas de comprobada solvencia y en este caso con ofertas especiales por ser usuarios de Picasa.

OTRA BUENA OPCIÓN: Flickr

¿Qué es Flickr?

Figura 4.1. Página de bienvenida de Flickr.

Flickr nació con la idea de ser "EL" servidor personal con el que poder compartir fotos. Su servicio es usado mundialmente por millones de Bloggers como archivo fotográfico con el que ilustrar sus artículos a diario (el uso de éstas puede ser libre o sujeto a según qué licencias). Esto le ha llevado a hacerse con un gran número de usuarios, hecho que ha aumentado su popularidad, lo que conlleva que de nuevo crezca su número de usuarios, es decir, una pescadilla que se muerde la cola. En agosto de 2007, Flickr contaba aproximadamente con una base de 1 billón de fotografías.

Flickr incorpora herramientas para etiquetar nuestras imágenes, lo que facilita futuras búsquedas dentro de su extensa comunidad, así como un explorador de las mejores fotos de la semana, según la puntuación que otorgan los propios usuarios.

En estos momentos Flickr es considerado uno de los mejores exponentes de lo que se ha dado en llamar Web 2.0, es decir, aquellos servicios web que aumentan y mejoran con la participación de los propios usuarios.

A la hora de usar este servicio se encontrará con dos tipos de opciones: Flickr gratuito y Flickr Pro, que cuesta unos 24,95 dólares al año.

Flickr fue creado por la compañía Ludicorp, una compañía canadiense afincada en Vancouver, que lanza su primera versión en febrero de 2004. No sé si se ha dado cuenta pero todas las aplicaciones y servicios que hemos visto hasta ahora y que nos quedan por analizar tienen unos orígenes más que recientes. Estamos ante los primeros pasos de algo que puede ser muy grande y cambiar definitivamente la forma en que se entiende hoy en día la red.

La primera versión de Flickr no era más que un chat donde existía la posibilidad de intercambiar imágenes en tiempo real. Las siguientes versiones se fueron centrando más en la posibilidad de subir fotos y de ofrecer herramientas para cada usuario de forma individual, hasta desparecer por completo su chat.

En julio de 2007 Flickr es lanzado en otros siete idiomas, entre ellos el español, lo que sin duda provocará que se acerquen hasta él millones de nuevos usuarios en todo el mundo.

El último impulso que le faltaba le ha llegado de la mano de Yahoo!, el más serio competidor de Google y por tanto de Picasa, al anunciar que durante el verano de 2007 cerraría su servicio de Yahoo! fotos de forma definitiva, dando a sus usuarios la oportunidad de migrar sus fotos a Flickr. A finales de agosto, Yahoo! integró Flickr en su buscador de imágenes y en octubre quedó definitivamente cerrado Yahoo! fotos.

Abra su cuenta y suba sus fotografías

Como siempre, podemos acceder a Flickr tecleando su dirección en nuestro buscador o a través de los servicios que ofrece Yahoo! en su página principal.

Si optamos por la segunda opción, nos situaremos en la ventana de la derecha de su página de inicio. Allí encontraremos todas las aplicaciones y servicios de Yahoo!, entre los que se encuentra Flickr.

Para iniciar la sesión, podemos introducir nuestro identificador Yahoo! en esta página o en Flickr.

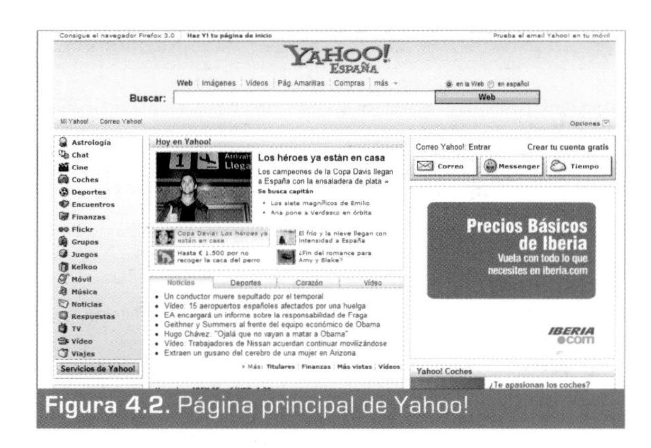

Figura 4.2. Página principal de Yahoo!

Si no disponemos de un usuario Yahoo!, nos pedirá que nos registremos. Al quedar finalmente integrado Flickr en Yahoo! y al igual que ocurriera con Picasa de Google, esta identificación será común, si así lo deseamos, para todos y cada uno de los servicios que nos ofrezca Yahoo! (figura 4.3).

Para registrarnos rellenamos el formulario, seleccionando un ID y dirección de correo que esté disponible, además de introducir una contraseña y otra dirección alternativa por si la olvidásemos (figura 4.4).

Tras aceptar, se nos da la oportunidad de imprimir o copiar nuestros datos para no extraviarlos entre las lagunas de nuestra mente y se nos ofrece la opción de descargarnos la barra de herramientas de Yahoo! para que se integre con nuestro navegador. Si no deseamos instalar esta barra, basta con que no marquemos la casilla correspondiente antes de hacer clic sobre el botón **Continuar**.

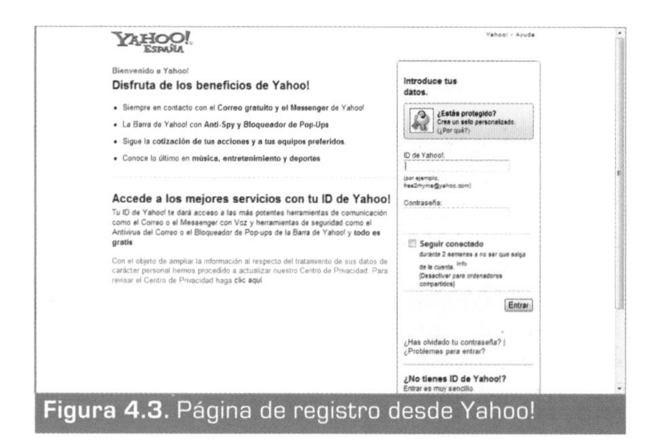

Figura 4.3. Página de registro desde Yahoo!

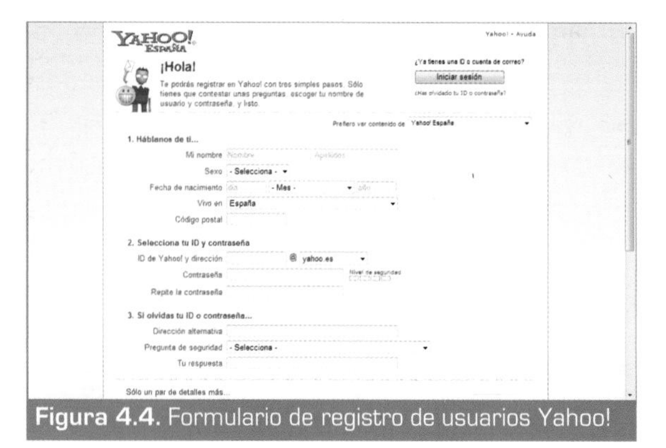

Figura 4.4. Formulario de registro de usuarios Yahoo!

En la siguiente pantalla se nos ofrecerá la posibilidad de crear una cuenta nueva para Flickr con nuestro identificador de usuario de Yahoo! o, por el contrario, fusionarla con una ya existente. Usted mismo. Nosotros, para nuestro ejemplo, elegimos crear una cuenta nueva.

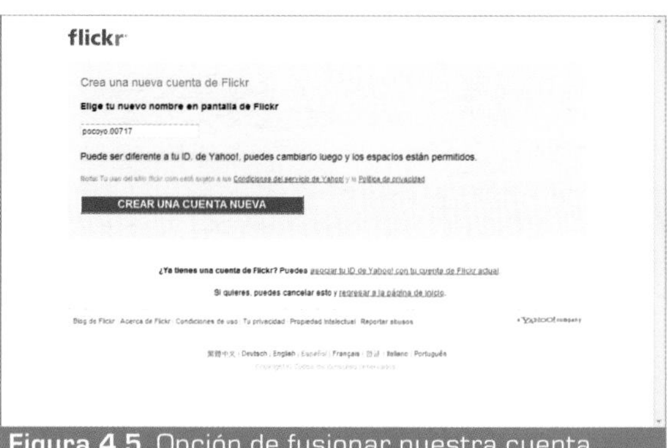

Figura 4.5. Opción de fusionar nuestra cuenta con una ya existente.

Y ya estamos dentro de Flickr, con nuestro nombre y apellidos para que todo el mundo tenga claro de quién son las fotos que nos disponemos a subir para compartirlas con el último de los mortales.

Desde aquí ya podemos empezar a subir fotos, aunque es más que recomendable que empiece por leerse las normas de la comunidad ya que, de no seguirlas, podría acabar expulsado, y continúe explorando la aplicación. Como comprobará, en este apartado le contarán algunas de las cosas que aquí le vamos a detallar, pero con "otro lenguaje".

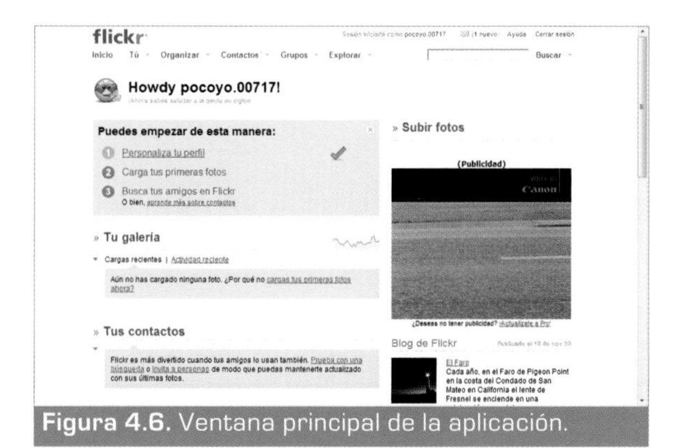

Figura 4.6. Ventana principal de la aplicación.

Nosotros le recomendamos que antes de subir sus imágenes le dedique un tiempo a disfrutar de las que suben otros usuarios, muchas de ellas francamente espectaculares. Que esto no le desanime. Muy al contrario, comprobará que hay de todo en la viña del señor y que, entre tanta genialidad, también hay muchos que no saben qué es eso de tener vergüenza. Pierda la suya a la hora de mostrar sus imágenes en público (le recordamos una vez más que si lo desea también puede subirlas para ser vistas en privado) pero sobre todo, y si es aficionado a la buena fotografía, le servirá para aprender mucho, pero que mucho, ya que la fotografía se aprende, sobre todo, viendo muchas fotografías y luego haciendo muchas fotografías.

Aquí encontrará muchas y muy buenas. Luego descubrirá que ante cada una de sus fotografías puede abrirse todo un mundo, ya que son muchos los usuarios que están dispuestos a comentar sus instantáneas y darle consejos prácticos de cómo mejorarlas. Eso sí, aunque la aplicación ¡por fin! ha sido traducida al español y el segundo idioma más utilizado en la red es el español, el idioma de Internet, como para casi todo en la vida, sigue siendo el inglés, y en dicho idioma le llegarán la mayoría de estos comentarios. Sobre todo, si pretende llegar lo más lejos posible con sus imágenes, no le quedará más remedio que, antes o después, terminar utilizando la lengua de la Reina Madre.

Figura 4.7. Selección de las imágenes más interesantes del mes.

Si nos ha hecho caso en todo, ya podemos empezar a subir nuestras propias imágenes. Empiece siempre subiendo aquéllas de las que se siente más orgulloso o tenga, simplemente, un especial interés por que sean vistas, ya sea por toda la comunidad de Flickr o, como ya veremos, sólo por aquellos "elegidos" a los que invite. Si le decimos esto no es para que presuma como un pavo real de su "arte" sino porque Flickr tiene una limitación de subida de 100 MB al mes y puede que los agote antes de recordar que le urgía mostrar unas fotos a unos amigos suyos que andan en la expedición española a la Antártida.

Flickr nos da varias opciones para hacerlo. Podemos pinchar en Subir fotos desde la página principal, o bien usar su ***Uploader* básico**, que nos permitirá subir varias fotos a la vez o descargarnos cualquiera de las utilidades gratuitas que nos permitirán subir un gran número de fotos directamente desde el escritorio de nuestro ordenador. Muchas de estas aplicaciones están desarrolladas por los propios usuarios, ya que Flickr ofrece de forma gratuita su código de programación. Por el momento, nosotros avanzaremos paso a paso y haremos clic sobre el enlace Subir fotos, lo que nos llevará a una nueva página en donde habrá que seguir tres sencillos pasos.

Hacemos clic sobre Elegir fotos, lo que nos permitirá explorar las imágenes de nuestro ordenador. Haciendo doble clic sobre la imagen seleccionada o marcando el botón **Abrir**, quedará la imagen "preseleccionada".

Figura 4.8. Seleccionando las fotos para subir.

Una vez se ha añadido la imagen a la lista de fotografías que queramos subir, podemos añadir nuevas imágenes simplemente haciendo clic sobre Agregar más, repitiendo la operación tantas veces como fotos queramos subir.

NOTA

Podemos seleccionar más de una foto a la vez si mantenemos pulsada la tecla **Control** al tiempo que hacemos clic sobre cada una de las imágenes, y finalmente marcamos **Abrir**.

Como podrá observar, una vez en la lista podemos eliminarlas pinchando sobre la papelera.

Y antes de subirlas ha llegado el momento que tanto le veníamos "anunciando" de decidir si deseamos que nuestras imágenes sean públicas o privadas y, en este caso, si serán visibles sólo para nuestros amigos, o para nuestros familiares. Obviamente más tarde tendremos que crear una lista de "amigos" y otra de "familiares".

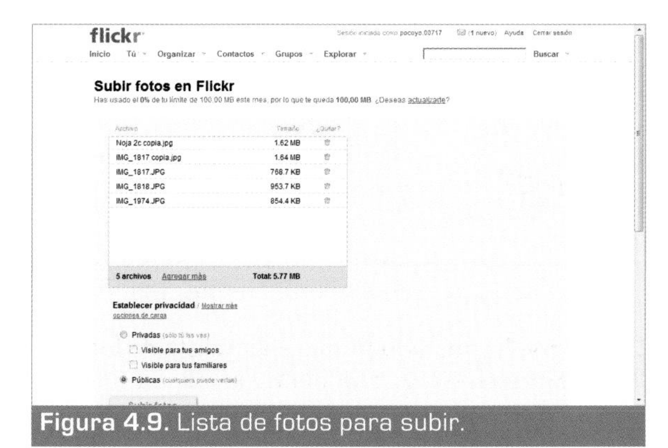

Figura 4.9. Lista de fotos para subir.

Llegados a este punto, sólo nos falta hacer clic sobre **Subir fotos** y observar cómo se va desarrollando el proceso de carga a nuestra cuenta.

El siguiente paso será hacer una pequeña descripción sobre la instantánea que acabamos de subir. Para ello haremos clic en **agregar una descripción**, lo que nos llevará a una nueva página en la que podemos ver las fotografías que acabamos de subir y se nos ofrecerá la posibilidad de ponerle etiquetas. Si ha leído las normas, el tema de las etiquetas adquiere una especial importancia en caso de determinadas fotografías donde se muestren ciertos contenidos, ya que dichas etiquetas, además de servir para hacer búsqueda de fotos, serán utilizadas por los filtros que deben proteger, entre otros, a los menores de la casa respecto de ciertas imágenes.

Figura 4.10. Proceso de subida de las fotos a Flickr.

Por ejemplo, no puede utilizar imágenes de desnudos como portada de su álbum y, si las incluye dentro, debe señalizarlo conforme se indica. Recuerde que saltarse estas normas, tras un primer aviso, puede suponer su expulsión y cierre de la cuenta, incluida la eliminación de sus fotografías. Dedíquele un tiempo a conocerlas.

Si lo deseamos, podemos crear un álbum donde ir metiendo nuestras imágenes por temas o fechas, o con lo que se nos ocurra para caracterizarlo. Para ello seleccionaremos **Crear un álbum nuevo**, lo que nos desplegará un menú en donde tendremos que darle un nombre y añadirle una pequeña descripción, antes de pulsar sobre **Crear álbum**.

Una vez hayamos terminado de ponerle etiquetas a todas y cada una de las imágenes, de asignarles un nombre, describirlas e incluirlas en un álbum, ya sólo tendremos que hacer clic en **Guardar**.

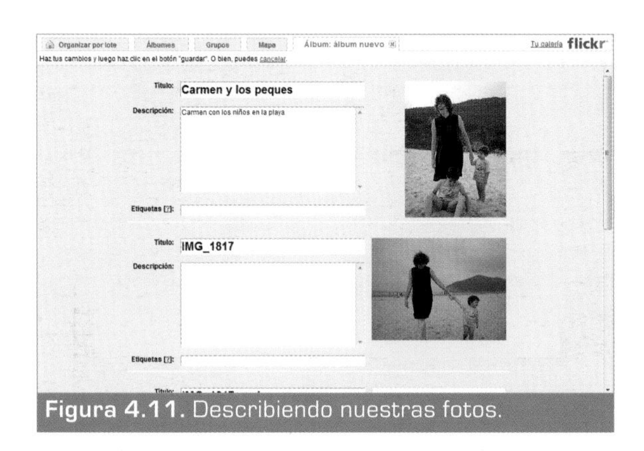

Figura 4.11. Describiendo nuestras fotos.

Al aceptar las fotografías, Flickr nos mostrará todas las que hayamos subido hasta ese momento, los álbumes que hayamos ido creando, así como el número de fotos que contiene cada uno. Si hacemos clic sobre uno de ellos, se abrirá, mostrándonos las fotos que lo componen.

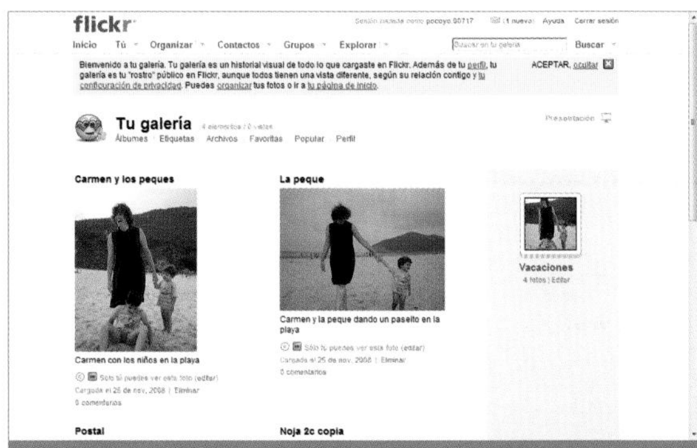

Figura 4.12. Contenido de un álbum, con las fotos ya rotuladas.

Dentro del álbum podemos cambiar la forma de ver las imágenes y añadirle comentarios. Si hacemos clic sobre una de las imágenes del álbum se mostrará ampliada y Flickr nos ofrecerá sobre ésta una nueva barra de herramientas que aparecerán en forma de iconos (figura 4.13). Tendremos la posibilidad de añadirle una nota, enviarla a un grupo, añadirla a un álbum, enviarla a nuestro blog, descargarla en varios tamaños, encargar una impresión en papel (al contrario que Picasa, Flickr posee un único servidor llamado QOOP), rotar la imagen, editarla o eliminarla. En la figura 4.14 puede observar el menú que se despliega al hacer clic sobre el icono **Incluir en un álbum,** nos muestra la imagen de portada de los distintos álbumes, con el fin de que seleccionemos aquél en el cual queramos incluir la fotografía.

Figura 4.13. Barra de herramientas.

Figura 4.14. Opción incluir en álbum.

A la derecha de la foto seleccionada se nos muestra una ventana que nos ofrece la posibilidad de navegar a través de las miniaturas de las imágenes que componen ese álbum. También se nos da la oportunidad de verlas como un pase de diapositivas. El pase de diapositivas podemos activarlo desde la página anterior, en la que se mostraban todas nuestras imágenes del álbum, seleccionando Ver como presentación.

Para ello tan sólo tendrá que pulsar el icono de la pantalla de diapositivas, en ese momento Flickr comenzará a cargar de una en una todas las imágenes de nuestro álbum sobre un fondo negro, enlazándolas por medio de transiciones.

Figura 4.15. Pase de diapositivas.

El tamaño con que se muestre dependerá del tamaño de la foto que hemos subido. En la parte inferior encontramos una tira con todas las imágenes del álbum, lo que nos permite acceder a cada una de ellas simplemente pinchando sobre su imagen. Junto a esta tira se nos da la opción de modificar la velocidad del pase de diapositivas, es decir, el tiempo que permanece la foto en la pantalla.

Otro detalle interesante del pase de diapositivas es el que si movemos el ratón por encima de la imagen nos aparecerán dos flechas, una a cada lado de la pantalla, con las que poder avanzar o retroceder a nuestro gusto en cualquier momento. Adicionalmente, se muestra un icono de información, que al hacer clic sobre él nos mostrará en pantalla toda la información que hayamos incluido sobre la imagen.

Figura 4.16. Fotografía con la descripción sobreimpresa.

Geoposicionamiento o Mapamundi de Flickr

Al igual que en PANORAMIO, es posible "mapear" las fotografías, aunque en este caso basta con que la coloquemos sobre el mapa desde la propia página web de Flickr. Pero vayamos paso a paso.

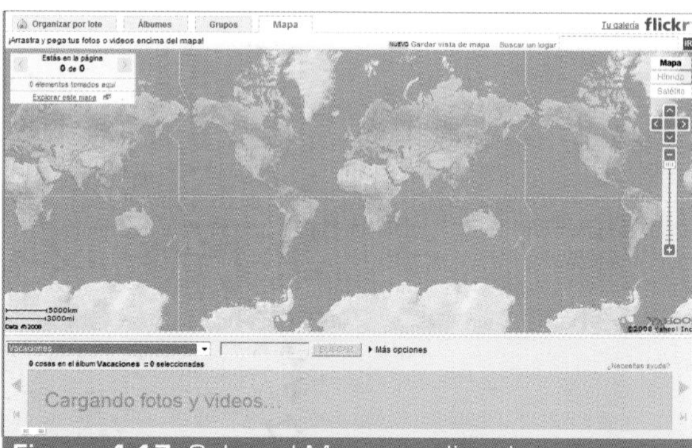

Figura 4.17. Sobre el Mapamundi podemos observar "geoposicionadas" nuestras fotos o las de un tema determinado que hayamos buscado.

Una forma es marcar desde la página principal la opción **Tu mapa**, que nos permite ver colocadas sobre el mapa nuestras fotos o las que hayamos seleccionado de cualquier usuario. La opción **Mapa del mundo** nos muestra todas las fotos de Flickr geoposicionadas, lo que nos permitiría realizar un auténtico "safari fotográfico" a lo largo y ancho del planeta.

Se puede acceder al mapa expandiendo el menú Explora y marcando a continuación sobre Mapa del mundo. Si deseamos ver únicamente nuestras fotos, expandiremos el menú Organizar y haremos clic sobre Tu mapa.

Cuando accedes a Tu Mapa aparece en pantalla un mensaje de bienvenida en el que se te ofrece la posibilidad de elegir quiénes podrán ver tus fotos. Por supuesto, Flickr te recomienda que marques Cualquier persona, podríamos decir que vive de ello, pero le aseguramos que una vez haya perdido la vergüenza es algo de lo más entretenido y gratificante.

Si por el motivo que fuera quiere que sus fotos se encuentren accesibles solamente para determinadas personas, no tiene más que marcar la casilla correspondiente. Recuerde que yendo a Privacidad y permisos dentro de Tu Cuenta, podrá, en cualquier momento revocar dichos permisos, cambiarlos, añadir familiares o quitar amigos.

Una vez que haya elegido una de la opciones, un nuevo mensaje le recordará que a partir de ese momento las fotografías que coloque podrá verlas todo el mundo y deberá confirmarlo haciendo clic sobre la opción **Aceptar**.

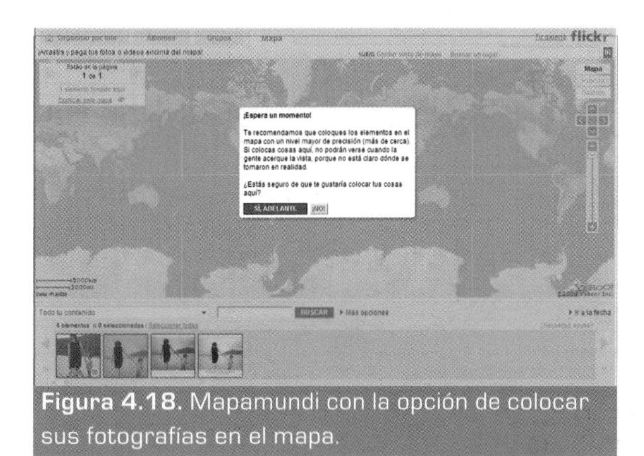

Figura 4.18. Mapamundi con la opción de colocar sus fotografías en el mapa.

Bajo el Mapamundi se encuentran todas sus fotografías, por las cuales puede desplazarse de izquierda a derecha y, sobre éste, un menú despegable donde puede acotar las imágenes que se muestren en dicha barra, organizándolas por álbumes, etiquetas geoposicionadas, etc.

Colocarlas sobre el mapa es tan fácil como pinchar con el puntero del ratón sobre la zona que queremos ampliar e ir acercándonos lo máximo posible, ya sea haciendo clic con el ratón o utilizando la barra lateral de zoom, hasta dar con el lugar exacto donde tomamos la instantánea. Ahora bastará con que pinchemos sobre la fotografía elegida y la arrastremos hasta el lugar elegido sin soltar. En cuanto soltemos el botón izquierdo del ratón, la foto quedará geoposicionada en dicho lugar.

Las fotos que hayamos ido colocando nos aparecerán marcadas con un punto azul en la barra de previsualización.

Ya sólo nos queda que quien haya decidido pasarse por ahí nos escriba algún que otro comentario sobre lo que mostramos, sobre cómo lo mostramos o sobre el tiempo que hacía ese día. Aquí cada uno dice lo que quiere.

Figura 4.19. Nuestra fotografía aparece en el mapa "geoposicionada".

Otras herramientas de Flickr

Hablando de la subida de imágenes en Flickr mencionamos que existía la posibilidad de utilizar una serie de programas desarrollados por esta empresa o por usuarios de su comunidad, programas que nos facilitarán la tarea de subir las imágenes, catalogarlas, pegarlas en blog o hacer llamativos collages o presentaciones en Flash con ellas.

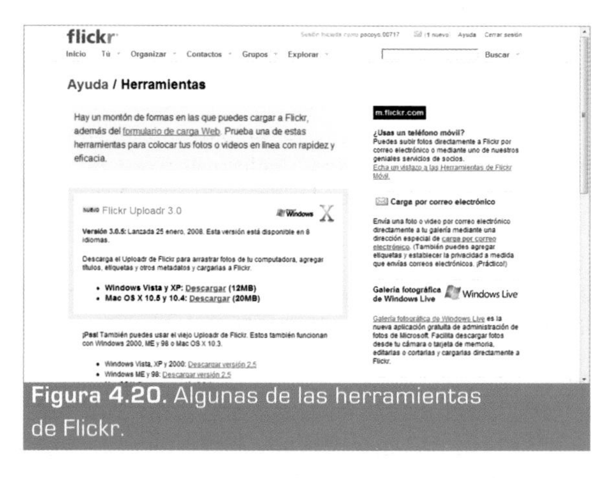

Figura 4.20. Algunas de las herramientas de Flickr.

Sin ánimo de revisar todas las herramientas, lo que sería imposible, empezaremos por ver una interesante utilidad que nos permitirá subir nuestras fotografías de forma rápida y cómoda desde nuestro ordenador, sin necesidad de abrir la página de Flickr, utilizando lo que se llama un *Uploader*.

Como hemos dicho hay muchos donde elegir y cada uno tiene sus propias características, así que mostraremos el que nos ofrece el propio Flickr.

Elegido el programa procederemos a descargarlo seleccionando **Descargar**. Como siempre, se nos dará la elección de ejecutarlo directamente o guardarlo previamente en una carpeta del ordenador. Una vez descargado deberemos pulsar sobre el botón **Instalar**.

Al abrir el programa por primera vez nos exigirá que autoricemos a un usuario a utilizar el programa para subir las fotos de ese ordenador (figura 4.21).

El programa se conectará con nuestra página, y nos pedirá que demos nuestro permiso desde la misma para crear un enlace seguro (figura 4.22).

El programa nos permite revocar dichos permisos o añadir todas las cuentas que deseemos, todas las nuestras si es que tenemos más de una o la de amigos que nos inviten a subir fotos en su espacio y lo autoricen dando su permiso. Esta es una buena forma de mantener álbumes "comunitarios". Para ello bastará con que hagamos clic sobre **Deseas cambiar usuarios**, lo que desplegará el menú de la figura.

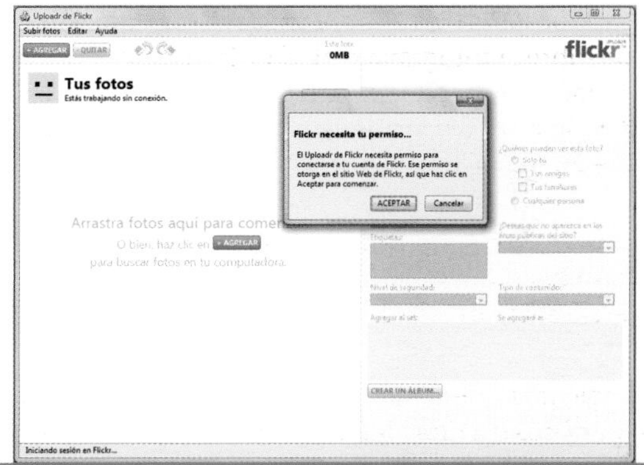

Figura 4.21. Identificar el usuario de Flickr a cuya cuenta se subirán las fotografías.

Figura 4.22. Estableciendo permisos de carga a nuestra cuenta.

En este menú se nos ofrece cambiar otras tantas opciones, como el tamaño de las imágenes que vamos a subir, su estado de privacidad, las etiquetas de las imágenes o la configuración de la sesión. Este menú también se despliega haciendo clic sobre el icono **Configuración**.

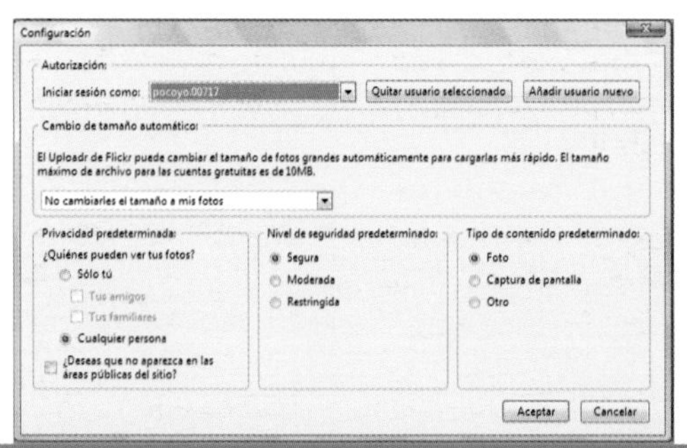

Figura 4.23. Configuración de la herramienta de subidas.

Ahora ya sólo tenemos que abrir la carpeta con nuestras imágenes, pinchar sobre la fotografía y arrastrarla hasta el escritorio de la aplicación. Si hemos seleccionado que nos pregunte si deseamos cambiar el tamaño de la imagen, será ahora cuando se nos pida que lo elijamos.

Todas y cada una de las imágenes irán apareciendo a continuación situadas sobre el escritorio del *Uploader*, las cuales podremos eliminar, girar o bien cambiar de tamaño o de permisos simplemente seleccionándolas en la ventana y haciendo clic seguidamente sobre el icono correspondiente.

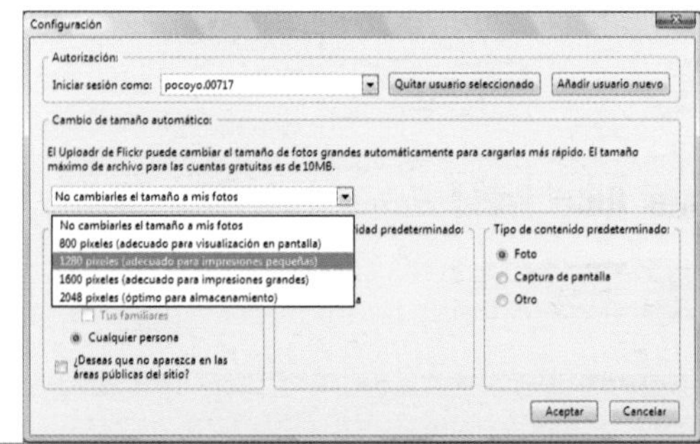

Figura 4.24. Opción de cambiar el tamaño de la imagen.

Como podrá observar, en la parte inferior le irá apareciendo actualizada, qué parte del límite de subida de 100MB al mes ha consumido hasta el momento (véase la figura 4.25).

Pulsamos sobre **Agregar** y, en el caso de que hayamos seleccionado en la configuración que se nos pregunte por las opciones de privacidad y las etiquetas (opción que viene marcada por defecto), aparecerá ante nosotros una nueva pantalla en la que se nos pedirán estos datos, así como que elijamos el álbum al que queremos mandarlas (véase la figura 4.26)

Figura 4.25. Fotos listas para subir.

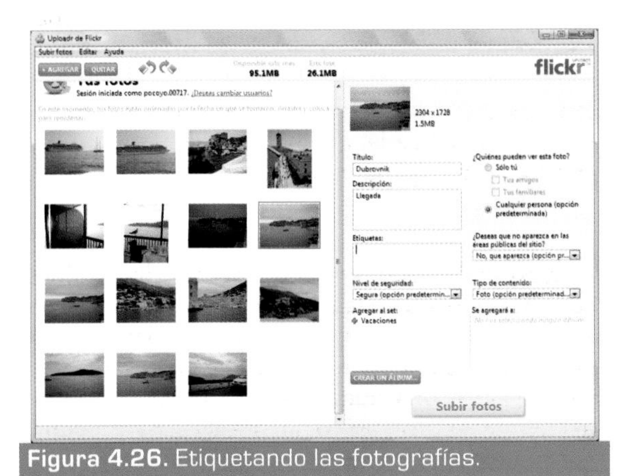

Figura 4.26. Etiquetando las fotografías.

Por último, hacemos clic sobre **Subir fotos** y nuestras fotos comienzan a subirse una por una, directamente a nuestro álbum (figura 4.27).

Al terminar el proceso se nos ofrecerá la opción de ir hasta nuestro álbum web para comprobar cómo han quedado. Si no queremos, basta con que hagamos clic sobre Listo. Como ha podido comprobar, se trata de un programa que nos facilita sobremanera nuestra "labor".

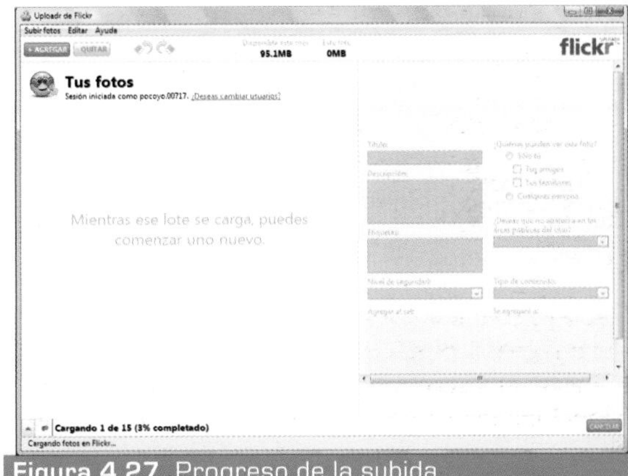

Figura 4.27. Progreso de la subida.

Otra herramienta curiosa que nos ahorrará mucho trabajo a la hora de mostrar o publicitar nuestra colección de fotos en páginas web es la de **Crea-**

ción de Módulos. Accederemos a ella desde la página de **Ayuda>Herramientas**, y una vez estemos en ella seleccionaremos el enlace **crear un módulo**.

Figura 4.28. Acceso a la herramienta de crear módulos.

Inmediatamente después nos aparecerá una pantalla en donde se nos dará a elegir entre dos opciones con las que componer nuestras imágenes. Estamos seguros de que en breve se irán ampliando, si es que no lo han hecho ya.

La primera es un collage de imágenes fijas (Módulo en HTML) y la segunda otro creado en Flash (Módulo en Flash) y, por lo tanto, con movimiento. En ambos casos se nos ira guiando paso a paso (figura 4.29).

Figura 4.29. Flickr ofrece opciones de creación de módulos HTML y Flash.

Tomemos como ejemplo la presentación en Flash, para lo que simplemente seleccionaremos la opción **Un módulo en Flash**.

En el siguiente paso, la aplicación nos pedirá que seleccionemos todas y cada una de las fotos que queremos que aparezcan en el *collage* (en la que tendremos dos opciones, las nuestras ó las de todos), que le asignemos un nombre para la presentación. Y por último, nos pedirá que seleccionemos un color de fondo, tal como se ilustra en la figura 4.30.

Una vez que hayamos completado todos los pasos de este proceso y tras mostrarnos en pantalla el aspecto final que presentará la animación, se creará el código correspondiente en lenguaje HTML que simplemente deberemos copiar y pegar entre el código HTML de nuestra página web. ¿Chulo, verdad? (Véase la figura 4.31.)

Figura 4.30. Pasos para la creación de un "collage" en Flash.

Figura 4.31. Aspecto final del "collage" realizado con esta utilidad que nos ofrece Flickr.

CAPÍTULO 5

MESSENGER

MSN Messenger o Windows Live Messenger es un conocido programa de los llamados de "mensajería instantánea" para Windows, algo así como un chat selectivo, donde te conectas para hablar solamente con tus amigos (véase la figura 5.1).

Figura 5.1. Iniciando una conversación en el escritorio de Messenger.

Messenger nació inicialmente para grandes empresas, de forma que sus empleados pudieran estar comunicados en tiempo real, y al mismo tiempo se pudieran intercambiar archivos e incluso trabajar en un mismo documento.

Es a partir de Windows XP cuando Microsoft lo añade como un complemento más de su sistema operativo, aunque aún tardaría en despegar un cierto tiempo.

A modo de pequeña historia le contaremos que el primer Messenger vio la luz un 22 de julio de 1999. Esta primera versión no incluía más que la utilización de texto simple y una lista de contactos. La siguiente versión permitió personalizar levemente la ventana de conversación, lo que sucedía en noviembre de ese mismo año. A finales de mayo del siguiente año llegaría una de las aplicaciones que nos concierne, la capacidad de transferir archivos y la posibilidad de poder mantener conversaciones ¡con audio! Pero el gran hallazgo de este programa, con el que seguramente empezó a popularizarse entre los más jóvenes, llegó con la versión 6 en julio de 2003. Al texto podíamos añadirle "emoticonos" e imágenes personalizadas, los conocidos como "avatares". También nos permitía personalizar los fondos. La versión 7.0 daría un paso más en esta línea añadiendo la posibilidad de enviar "guiños animados" e imágenes animadas a modo de mensaje.

En 2005 se presenta la versión 7.5, donde además de poder contar con fondos dinámicos podíamos dejar mensajes de voz a nuestros contactos y además, venía ya instalada como parte de nuestro XP. Esto ocurría en un momento en que los jóvenes fundían el teclado de sus móviles mandándose mensajes y empezaban a abandonar los chat al estar estos "infectados" de publicidad hasta el punto que hacia imposible seguir una conversación. Decidieron que Messenger era la forma más barata de comunicarse con sus amigos y hacerlo de una forma divertida. Luego vendrían las llamadas a través de Skpye o las videoconferencias y con ello un nuevo nombre: Windows Live Messenger, donde queda perfectamente integrado junto al servicio My Space de Microsoft.

Instale su Messenger

Si usted utiliza Windows Vista, su Messenger se encuentra ya instalado por defecto y preparado para usarse, pero es más que probable que su versión sea más que antigua, sobre todo si tenemos en cuenta que ésta no ha variado desde que se lanzara el *Service Pack* 2 de XP y que, a partir de ese momento, cada usuario debía de ir haciendo las actualizaciones oportunas. Pero para empezar de forma rápida es más que suficiente.

Si desea descargar una nueva versión no tiene más que dirigirse a la página de Microsoft y acceder al apartado de descargas.

Iniciamos el programa y, la primera vez que hagamos clic sobre iniciar sesión, el programa nos pedirá que nos registremos en Windows Live (figura 5.3).

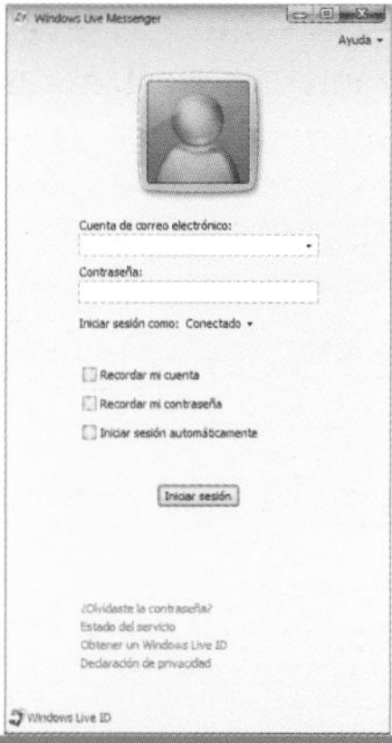

Figura 5.2. Pantalla de inicio de Messenger.

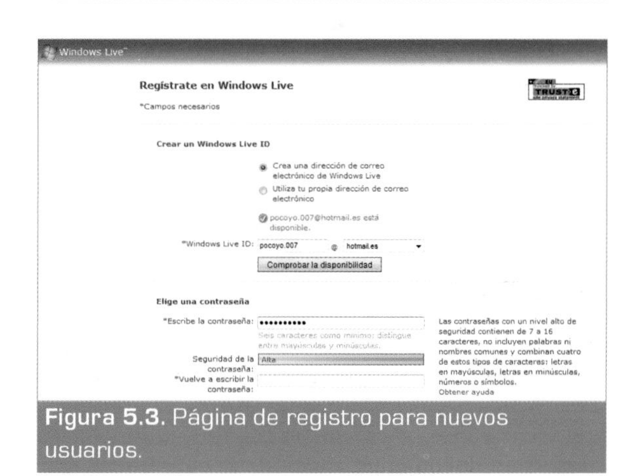

Figura 5.3. Página de registro para nuevos usuarios.

En el caso de que ya tengamos una cuenta de correo electrónico Hotmail o un Windows Live ID podemos utilizarla y si no deberemos abrirnos una. Por tratarse de un servicio de Microsoft, nos abrirá una cuenta en Hotmail y su nombre de usuario será, a partir de ese momento, el mismo para todos y cada uno de los nuevos servicios que ofrece la empresa.

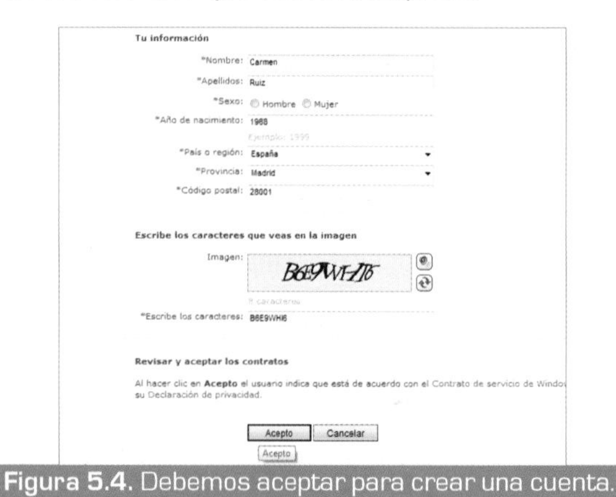

Figura 5.4. Debemos aceptar para crear una cuenta.

A la hora de cumplimentar el formulario de turno, una vez más le recordamos que no quiere decir que usted tenga que decir la verdad y toda la verdad y, siempre que no haga daño a nadie, no esta mal que se invente un alter ego que se atreva a decir y/o hacer todo aquello que usted no haría. Hay casos muy sonoros de "alias" que han adquirido una gran fama dentro del periodismo y de la "blogosfera"

Una vez registrado podrá comenzar cada una de sus sesiones introduciendo su dirección de correo como nombre de usuario y una contraseña. Si decide que su ordenador le guarde estos datos, no tendrá más que pinchar sobre **Iniciar sesión automáticamente.** También puede configurar el Messenger para que se inicie automáticamente cada vez que encienda el ordenador.

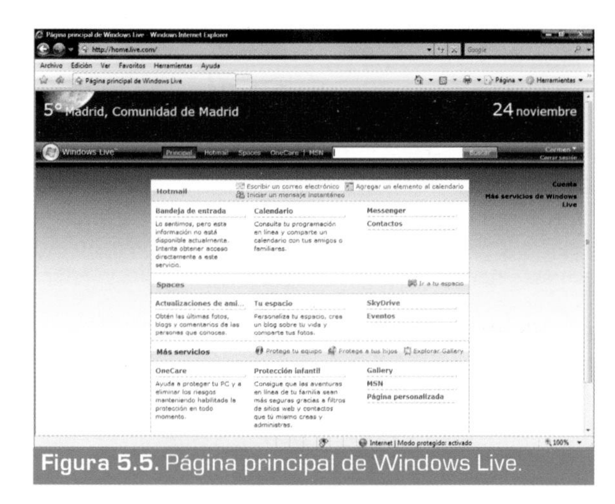

Figura 5.5. Página principal de Windows Live.

Ya puede hablar con quien quiera desde este momento ¿no? Bueno, mucho nos tememos que no. En primer lugar déjenos que le recomendemos que cierre su Messenger y visite la página oficial del programa para descargarse inmediatamente la última versión disponible. Si es usuario de Windows Vista, puede que ya tenga instalada la última versión, pero no está de más que compruebe el número de la versión que tiene instalada. Para ver su número de versión, pulse sobre el botón de **Mostrar menú** y, en el menú despegable, haga clic en **Ayuda>Acerca de Messenger**. A continuación compruebe el número de la versión disponible para su descarga, ya que a cada momento Microsoft coloca versiones beta o finales de cada uno de sus programas, que tapan o solucionan ciertos problemillas según van surgiendo.

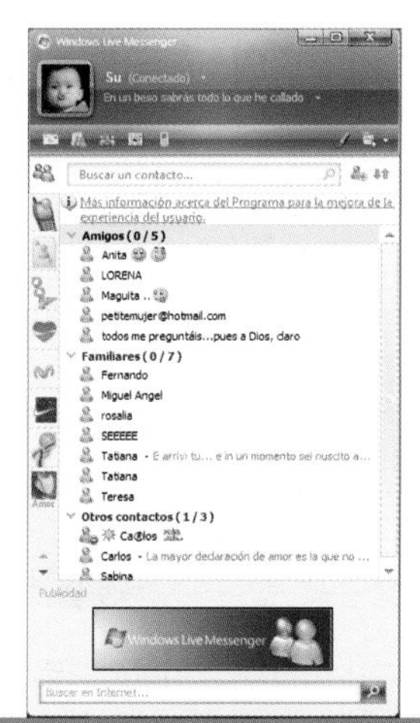

Figura 5.6. Aspecto de Messenger en Vista.

Tras instalar la última versión de su Messenger, podrá comprobar que no son pocas las cosas que han cambiado y una de las más llamativas, aparte que ahora llegará publicidad a nuestro ordenador a través de una pequeña ventana situada a modo de *banner* en la parte inferior de la consola, es la barra de herramientas que aprece en la parte superior, desde la que podrá acceder a un lugar llamado Windows Live y más concretamente a **Tu espacio**.

Figura 5.7. MySpace de Windows Live.

Desde aquí podrá utilizar su correo Hotmail (el de la cuenta que ha creado para su Messenger), modificar su perfil, compartir fotos, agregar amigos, elaborar un Blog y crear un "espacio", que es algo a caballo entre página web y Blog, donde podrá colocar: álbumes de fotos, vídeos, comentarios y un largo etcétera de servicios que seguro irán en aumento (figura 5.8). El acceso de esta página podemos restringirlo a nuestro antojo, creando listas de amigos, familiares y contactos, lo que nos lleva derechos al siguiente paso, el de cómo poder empezar a comunicarnos con otra persona.

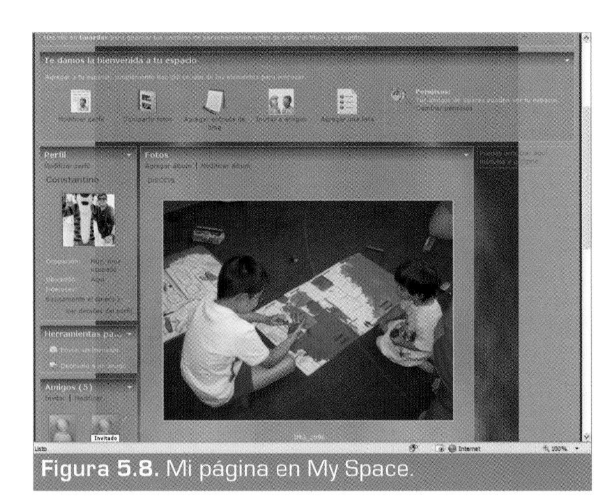

Figura 5.8. Mi página en My Space.

Una vez creado nuestro espacio es posible crear una lista de amigos para que puedan acceder a él. A esta lista se le puede agregar la lista de contactos de nuestro Messenger o crear una diferente (figura 5.9).

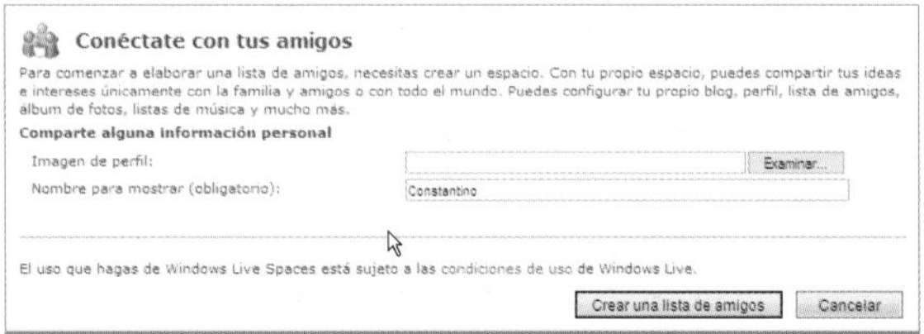

Conéctate con tus amigos
Para comenzar a elaborar una lista de amigos, necesitas crear un espacio. Con tu propio espacio, puedes compartir tus ideas e intereses únicamente con la familia y amigos o con todo el mundo. Puedes configurar tu propio blog, perfil, lista de amigos, álbum de fotos, listas de música y mucho más.
Comparte alguna información personal
Imagen de perfil:
Examinar...
Nombre para mostrar (obligatorio):
Constantino
El uso que hagas de Windows Live Spaces está sujeto a las condiciones de uso de Windows Live.
Crear una lista de amigos
Cancelar

Figura 5.9. Enviar invitación para establecer una comunicación.

Pero para poder agregar la lista de contactos de nuestro Messenger, primero deberemos tener una, y eso quiere decir que tenemos al menos contactos (lo de los amigos ya es otro cantar).

Comparte (Conectado)
<Escribe un mensaje personal>
Tienes 1 solicitud pendiente.
No tienes ningún contacto en tu lista de contactos. Haz clic en el botón Agregar que aparece más arriba para empezar a crear tu lista.
match.com

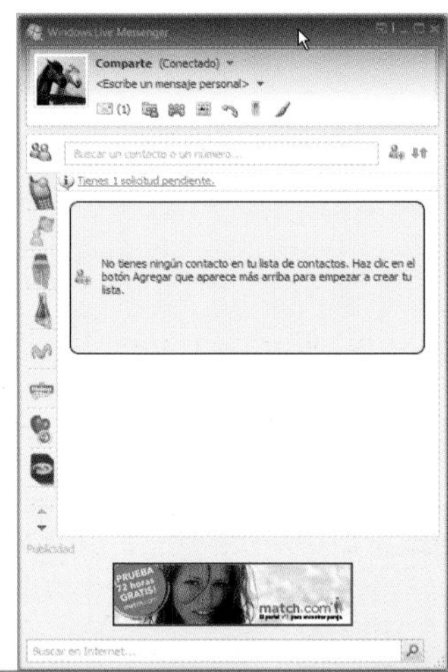

Figura 5.10. Al abrir por primera vez Messenger nos advierte de que carecemos de contactos.

Con Messenger no podremos hablar con quien nos venga en gana, como pasa con el correo electrónico, que cuando alguien se hace con nuestra dirección no hay forma de que entienda que no queremos saber nada de él. Y no digamos ya cuando nuestra dirección cae en manos de un desaprensivo *spammer*. Es por esto que Messenger necesita el permiso del contacto para establecer una futura conexión entre ambos. De esta forma a más de uno le quedará más que claro que no tiene amigos, digo contactos... Para agregar un nuevo contacto deberemos hacer clic sobre el icono **Agregar un contacto** que se encuentra junto a la barra de búsqueda de contactos.

Figura 5.11. Barra de búsqueda de contactos y botón para agregar nuevos contactos.

Al hacerlo se nos abrirá un formulario que deberemos rellenar con la dirección de nuestro contacto. Recuerde que ésta debe ser una dirección de Microsoft, es decir Hotmail. Aquí podemos escribirle un primer mensaje animándole a que nos permita mantener futuros contactos con él. Además podemos añadir su número de teléfono para mandarle mensajes de texto, gracias a otro de los servicios que nos ofrece Messenger. Seguidamente haremos clic en **Agregar contacto** (figura 5.12).

Cuando la persona que hemos agregado a nuestra lista de contactos abra su Messenger e inicie una sesión, le aparecerá una ventana con un mensaje dándole a elegir si nos permitirá que veamos cuándo está conectada y si podemos establecer una comunicación con ella o, por el contrario, no permitirnos verla cuando se conecta ni mantener comunicación alguna.

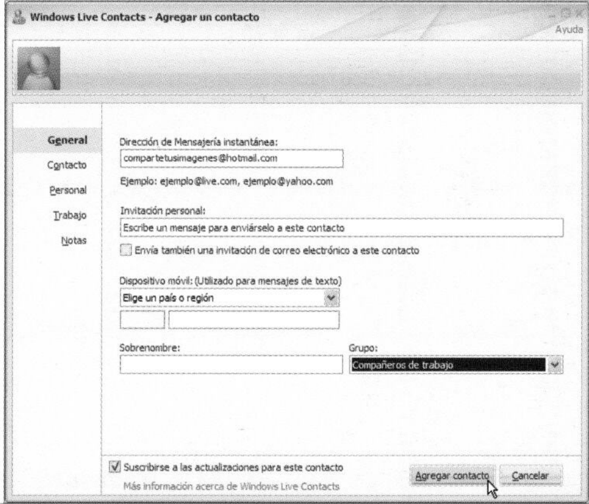

Figura 5.12. Formulario con el que agregará un contacto nuevo.

En esta ventana también se nos ofrece la posibilidad de agregar a esta persona a nuestra lista de contactos. Si así lo hiciéramos, ya no sería necesario un nuevo mensaje solicitando un nuevo permiso al remitente, ya que se da por hecho que si él quiere que estemos en su lista, es normal que nosotros le tengamos en la nuestra (véase la figura 5.13).

En esta ventana también encontramos un vínculo que al hacer clic sobre él nos mostrará su perfil. Perfil que, obviamente, ha debido crear anteriormente. En nuestro caso, éste sería motivo más que suficiente para tener completado en condiciones nuestro perfil, ya que de ello puede depender que la otra persona nos permita la comunicación o no, tal como se ilustra a continuación en la figura 5.14.

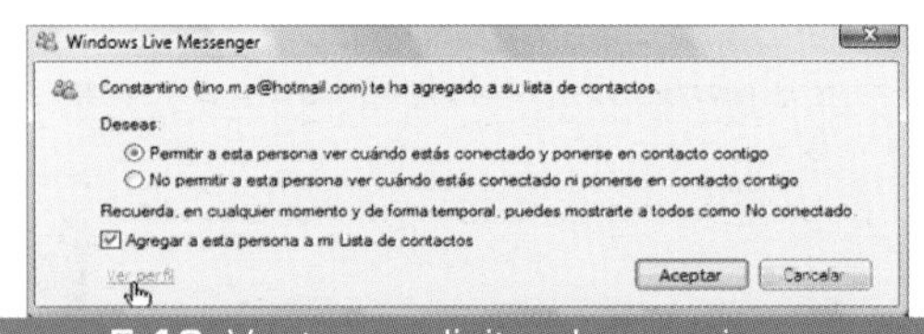

Figura 5.13. Ventana solicitando permiso para entablar comunicación.

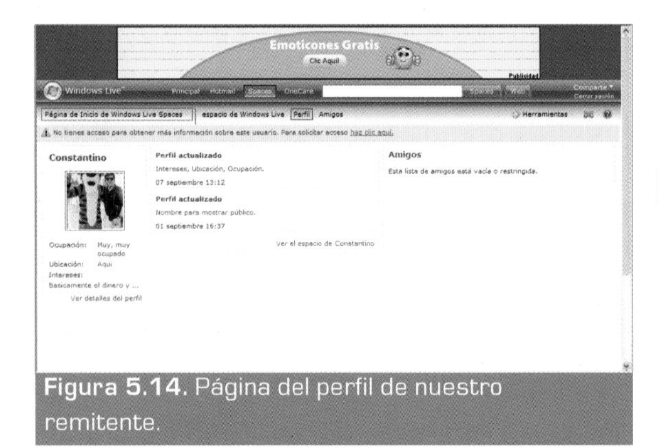

Figura 5.14. Página del perfil de nuestro remitente.

Pero ojo, aunque este vínculo nos haya llevado hasta su "espacio", sólo nos permitirá ver su perfil. Para que podamos navegar por su página deberá habernos incluido, como hemos visto más atrás, en una lista con los pertinentes permisos. Como puede comprobar, nadie que usted no quiera podrá ver nada que no quiera que vea.

Una vez que hayamos comprobado su identidad y habiendo tomado una decisión, ya podemos cerrar la ventana de permiso haciendo clic sobre el botón **Aceptar.** No se preocupe si se arrepiente, siempre podrá revocar los permisos.

Ahora, en la consola de nuestro Messenger, aparecerán todos y cada uno de nuestros contactos y con una simple mirada al color del "muñequito", comprobar si está conectado (color verde) o no (gris), tal como se ilustra en la figura 5.15.

NOTA

El tema de los colores, los fondos y todo lo demás puede cambiar, ya que hay muchos programas que le permitirán hacer cientos de modificaciones de "estilo", además de las que ya ofrece la propia aplicación.

En la consola principal de la aplicación veremos en color verde los muñecos correspondientes a los amigos que se encuentran conectados en ese momento. Haciendo clic sobre cualquiera de ellos podemos acceder a la ficha con su perfil, que se muestra en la figura 5.16 en la siguiente página.

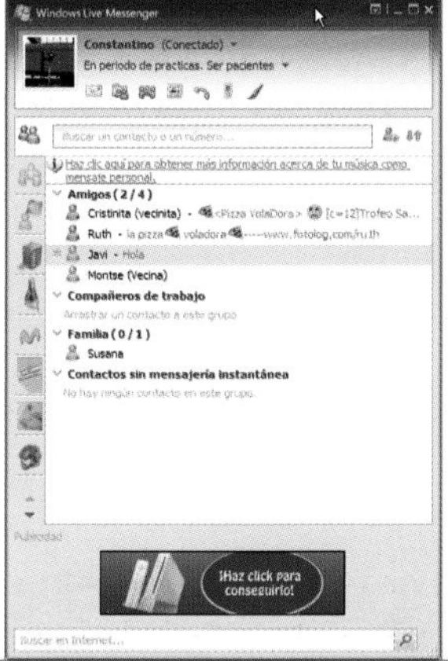

Figura 5.15. Consola principal con imagen de nuestros contactos.

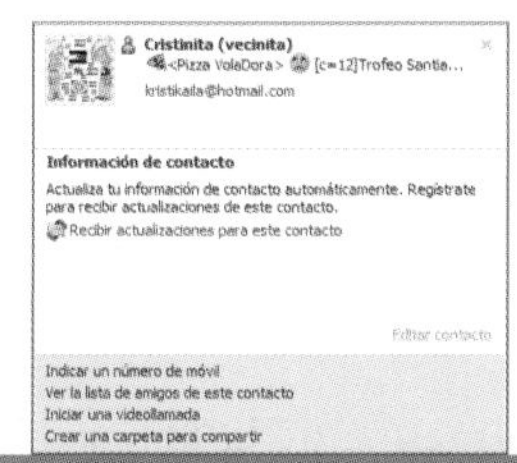

Figura 5.16. Al pinchar sobre el contacto nos aparecerá una ventana con su perfil.

A los contactos que no están conectados tenemos la opción de dejarles un mensaje. Algo así como un buzón, que verán en el momento en que se conecten. Para escribir el mensaje basta con hacer clic sobre **Aceptar** en la ventana que nos indica que no está conectado.

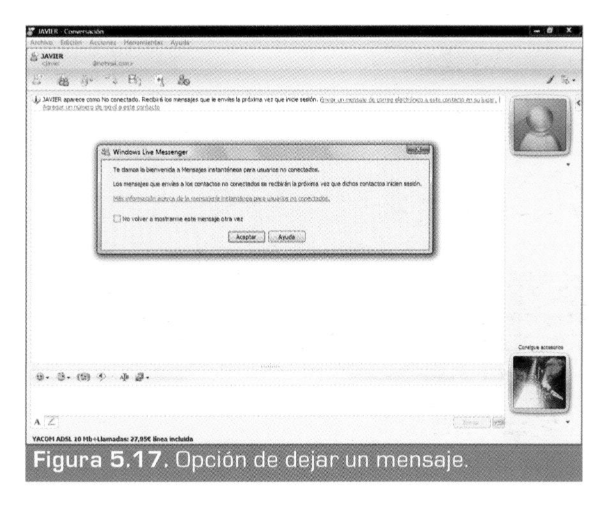

Figura 5.17. Opción de dejar un mensaje.

Los mensajes se escriben, al igual que las conversaciones, en el recuadro inferior de la ventana principal (véase la figura 5.18).

Si pulsamos el icono del bocadillo con un altavoz en su interior podremos dejarle, en vez de una "nota", un mensaje hablado como si de un contestador automático se tratase. Para ello tendremos que tener un micrófono instalado, algo que explicaremos más adelante.

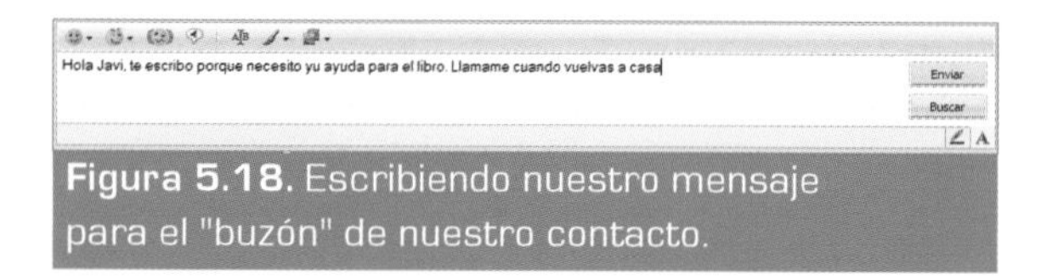

Figura 5.18. Escribiendo nuestro mensaje para el "buzón" de nuestro contacto.

En el caso de que nuestro contacto estuviera conectado pero no nos hiciese mucho caso, tenemos el icono que está justo a la izquierda del mensaje de voz y que nos sirve para lanzar un "zumbido", es decir, una señal que hará que su pantalla "vibre" junto con una señal sonora de aviso más otra escrita, advirtiéndole de que Fulano o Mengano le ha enviado un "zumbido".

Si uno de nuestros contactos que se encuentran "desconectados" iniciase una sesión en el momento de tener la nuestra en marcha, una pequeña ventana emergente de la barra de inicio nos comunicará que acaba de conectarse y que, por lo tanto, podemos empezar a entablar una conversación con él en cuanto queramos.

Nuestro siguiente paso tendrá que ir dirigido a hacer cuantos ajustes sean necesarios para que, si alguien quiere comunicarse con nosotros, nada lo impida. ¿Y qué ajustes son los que nos pueden faltar? ¿Recuerda lo del micrófono para los mensajes de voz? Pues por ahí van los tiros. Ni más ni menos que los ajustes de audio y vídeo.

Haciendo clic sobre el icono de una pequeña ventana con un triangulo invertido en su interior que se encuentra en la parte superior izquierda de nuestro Messenger, se desplegará un menú donde, entre otras opciones, se encuentra la de **Herramientas**.

Situando el ratón sobre ésta se nos abrirá un nuevo menú, en el que deberemos elegir la opción **Configuración de audio y vídeo...**

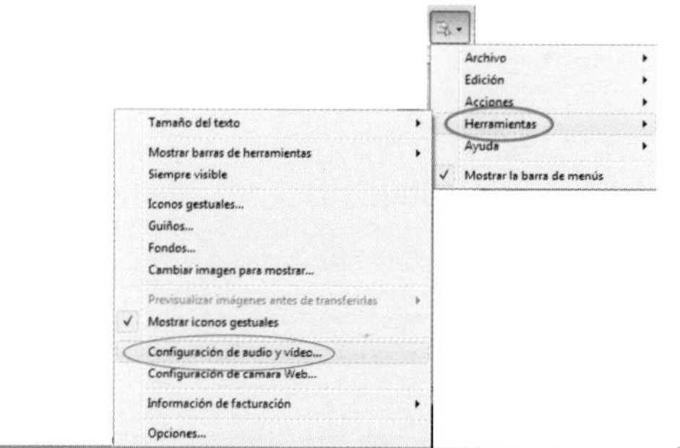

Figura 5.19. Barra de herramientas desplegada.

Al hacerlo pondremos en marcha un asistente que nos irá guiando paso a paso en cada uno de los ajustes que debemos realizar (figura 5.20).

En primer lugar nos pedirá que ajustemos el nivel de sonido de nuestros altavoces. Para hacerlo nos ofrece un botón que emite un sonido con el cual podremos determinar cuál es el volumen óptimo para el lugar en que nos encontramos. Tras pulsar sobre **Siguiente**, se nos pedirá ajustar el nivel de entrada del micrófono. Nos mostrará una barra a modo de audímetro que nos indica el nivel óptimo del mismo utilizando los colores verde, amarillo y rojo (figura 5.21).

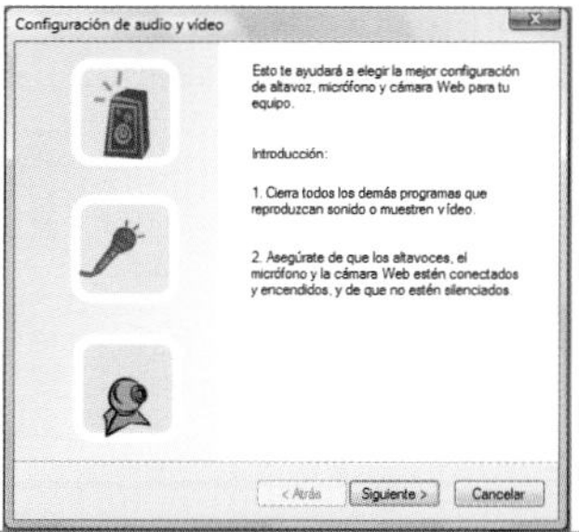

Figura 5.20. Asistente para calibrar correctamente el audio y la WebCam.

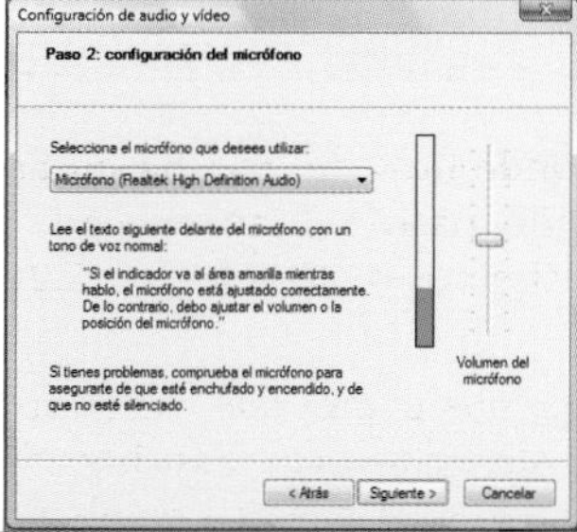

Figura 5.21. Asistente para micrófono.

Y por último tendremos que ajustar nuestra Cámara Web. En primer lugar desplegaremos la lista que se encuentra encima de una pequeña "pantalla". Aquí seleccionaremos el dispositivo o Cámara Web conectada al ordenador. Opcionalmente podremos ajustar ciertos valores de la cámara como el tipo de señal de vídeo (PAL, SECAM, NTSC) así como el color, brillo, etc.

Figura 5.22. Configuración de la Cámara Web.

Si fuera necesario, podríamos acceder a distintos ajustes de la cámara marcando **Configuración de cámara Web** en la barra de herramientas, tal como se ilustra en la figura 5.23.

NOTA

Si no dispone de una Cámara Web pero en cambio sí de una cámara MiniDv con salida para Vídeo Streaming, simplemente conéctela a su puerto USB y disfrute de una espectacular resolución y calidad de imagen (y ahórrese el micro).

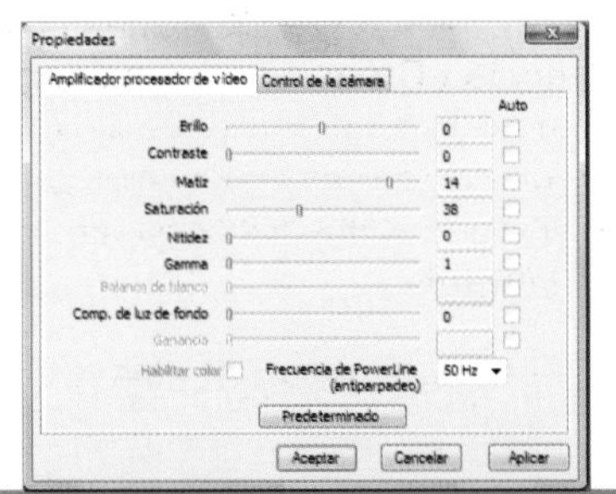

Figura 5.23. Configuraciones Cámara Web.

Ahora estamos preparados para dejar mensajes de voz en el "buzón" de cualquiera de nuestros contactos. Mantener conversaciones de voz de ordenador a ordenador sin preocuparnos ni de las distancias ni del dinero y, sobre todo, mantener conversaciones por "Vídeollamada". Y aunque realmente este no es el tema que nos ocupa sería una pena no haber mostrado lo mejor que nos puede ofrecer Messenger (figura 5.24).

Ahora vamos realmente a lo que nos ocupa, el hecho de compartir nuestras imágenes, ya sean fotografías o vídeo (películas) a través de nuestro Messenger. Tenemos dos opciones, la primera es coger el archivo y mandárselo directamente a nuestro contacto, ya sea vinculándoselo a un mensaje de correo Messenger o mientras mantenemos una conversación, para lo cual desplegaremos el menú de **Archivo** y seleccionaremos la opción **Enviar un único archivo**. En ese momento la otra persona recibirá una notificación indicándole mis intenciones a la que tendrá que responder si lo acepta o no. Una vez finalizada la correcta transmisión, otro mensaje le advertirá de ello (figura 5.25).

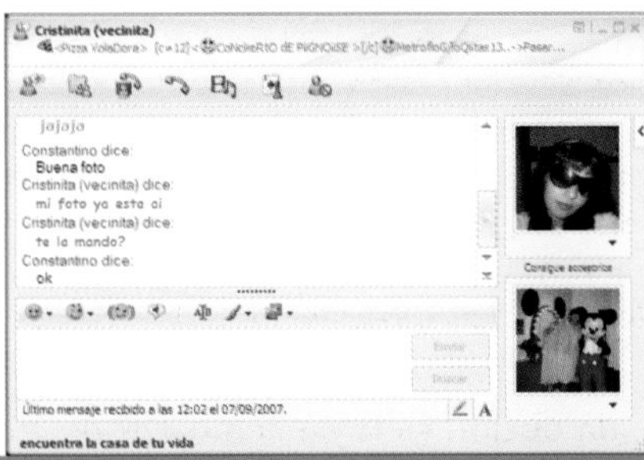

Figura 5.24. Manteniendo una conversación con Cristina (mi vecinita).

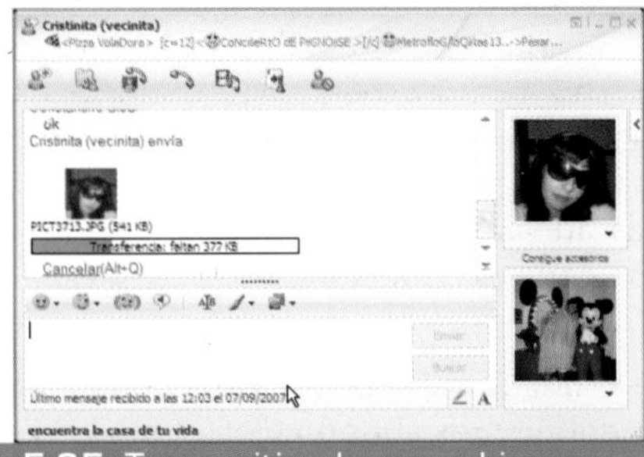

Figura 5.25. Transmitiendo un archivo en medio de una "conversación".

Estos archivos se guardarán en una carpeta que Messenger tiene habilitada para la recepción de archivos, llamada **Mis archivos recibidos** y que la crea automáticamente la aplicación durante su instalación dentro de la carpeta de **Mis Documentos**.

Piense que este tipo de transferencia es directa de ordenador a ordenador y que realmente lo que está haciendo el remitente es descargarla directamente del nuestro, por lo que la velocidad de dicha descarga dependerá muchísimo del tipo de conexión que posean ambos. Una película en DivX, por ejemplo, puede llevarle unas cuantas horas.

La segunda opción es la de compartir documentos, lo que se logra compartiendo ambos una misma carpeta, donde alojaremos aquellos ficheros o archivos a los que queramos acceder ambos para "trabajar" sobre el mismo documento. Esto en principio suena genial y sin duda fue genial para las empresas no hace mucho tiempo, pero este método tiene una pega que puede terminar siendo un problema para la memoria de su ordenador, pero esto se lo contaremos más adelante. Empecemos por explicar cómo crear una carpeta para compartir.

Para crear una carpeta compartida con un contacto, primero deberemos abrir un diálogo con ese contacto, el cual debe estar conectado en ese momento. Haremos clic sobre la carpeta **Compartir archivos** que se encuentra sobre la pantalla de diálogo y marcaremos la opción **Crear o abrir una carpeta compartida**. Ahora sólo tendremos que llevar hasta esta carpeta los documentos que queramos compartir con la otra persona que, como siempre, tendrá que confirmar que lo acepta.

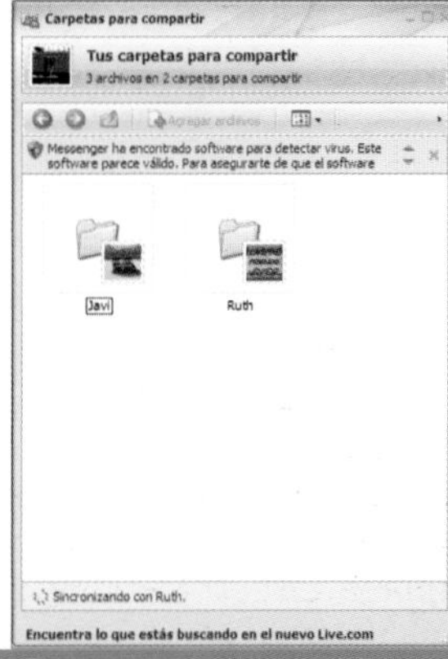

Figura 5.26. Carpetas compartidas con distintos usuarios.

¿Dónde está entonces el problema? Pues que esa carpeta no se encuentra en ningún "limbo" entre ambos ordenadores ni crea vínculos entre éstos, ni tan siquiera entre nuestras carpetas a diferencia de lo que hacía Picasa. Messenger "coge" el archivo que hemos seleccionado y lo copia de nuevo en la carpeta compartida, lo que quiere decir que ahora lo tendremos por duplicado. Imagínese ahora que lo que ha "compartido" es su colección de fotografías que ocupa algo así como 5 ó 6 GB. Pero aquí no acaba la cosa. Lo que hace ahora realmente Messenger es "sincronizar" ambos ordenadores, lo que significa que comienza a mandar ese archivo a la carpeta compartida que también se ha creado en el ordenador del receptor, y lo va haciendo sólo mientras ambos están conectados de forma simultánea, obviamente, y de nuevo lo "duplica" en la carpeta del otro ordenador, es decir, que ahora tendrá 5 ó 6 GB menos en su ordenador (figura 5.27).

Para el tema que nos ocupa no parece una buena opción, aunque sí lo es para trabajar en proyectos o documentos que no requieran de mucho espacio y sí, realmente de trabajo, ya que al estar sincronizadas ambas carpetas, los cambios que se realicen en uno de los documentos quedarán reflejados en el del otro. Así que para todos aquellos archivos que sean fotos, vídeos y/o música que simplemente queremos ver y disfrutar y sobre los que no vamos a "trabajar", existen otras opciones mucho más rápidas y efectivas, como podrá comprobar en el siguiente capítulo.

Figura 5.27. Archivos compartidos.

CAPÍTULO 6

YouTube Y Google Video

Hasta el momento hemos aprendido cómo descargarnos nuestras imágenes (fotografías y vídeos) al ordenador, a sacarlas de éste y a mostrar nuestras fotografías al mundo o intercambiarlas de forma privada a través de distintas aplicaciones. Incluso hemos podido mandar vídeos a través de nuestro Messenger, aunque lo hayamos tratado como un simple archivo. Hemos visto que estas maniobras requieren su tiempo y tendríamos que repetirlas una y mil veces para lograr que lo vea todo aquél que queramos. Y esto, que hasta hace poco estaba reservado a unos cuantos elegidos, es ahora tan fácil y sencillo como subir una foto con Picasa o Flickr.

Así pues, ha llegado el momento de subir nuestra "película" a Internet y de mostrarla al mundo. Créanos cuando le decimos que estamos ante toda una revolución que acabará por cambiar el modo en el que vemos hoy la televisión. Estamos hablando de YouTube.

¿Qué es YouTube?

Por si usted es de los pocos que a estas alturas no ha oído hablar de esto, le diremos que YouTube es, según se definen ellos mismos en su página, "un servicio de transmisión por flujos de vídeo online, mediante el cual cualquier persona puede ver y compartir vídeos previamente subidos por sus miembros" (nosotros no lo hubiéramos redactado mejor).

Figura 6.1. Vídeo familiar que queremos que vean sus abuelas a través de YouTube.

En estos momentos YouTube es algo más.

Desde que fuera fundado hace tan sólo algo más de dos años por dos antiguos empleados de PayPal con la idea de poder compartir con sus amigos un vídeo de sus vacaciones, ha tenido tal impacto que no hay programa de televisión, página web, blog o diario digital que no se haga eco o se nutra de sus vídeos, hasta el punto de que en noviembre de 2006, la revista Time le otorgó el título de "Invento del año" e incluso hay quien ya habla de la "Generación YouTube". Puede que este invento termine siendo el responsable de darle el impulso que le falta a los canales de televisión por Internet que, eso sí, tendrán que ser canales puramente interactivos donde el espectador pueda participar activamente en los contenidos, añadiendo los suyos propios.

Desde su nacimiento, YouTube también ha tenido que enfrentarse a serios problemas con distintas productoras, distribuidoras o canales de televisión, que le acusaban de violar los derechos de autor y copyright de sus emisiones. Este último hecho no deja de ser curioso ya que, amparados en su derecho a informar, muchos canales han llenado su parrilla con "vídeos de primera", programas del corazón e incluso telediarios con todo tipo de vídeos de esta página.

Pero el tiempo ha demostrado que YouTube, lejos de ser una amenaza y si uno juega bien sus cartas, puede servir como un perfecto escaparate promocional de películas, programas y/o artistas de toda índole en plena campaña promocional, políticos en campaña electoral e incluso en eso que se ha dado en llamar publicidad viral. ¿Recuerdan "Amo a Laura", que resultó ser un anuncio de la MTV, o el asalto a Las Cortes (con el robo incluido del escaño del señor Zapatero) como parte de una campaña para la UNESCO, o "El Corrá" del Koala? Incluso en ocasiones vídeos subidos por videoaficionados han logrado tambalear a más de un organismo público o privado, aunque fuera sólo por unos minutos. Recuerde el caso del vídeo de Hamilton incurriendo en una infracción que dio como resultado un accidente de fórmula 1, o la airada conversación entre la Vicepresidenta del Gobierno Teresa de la Vega y la Presidenta del Tribunal Constitucional durante el desfile militar del Día de La Hispanidad; todos ellos abrieron las editoriales de buena parte de los periódicos y emisoras del día siguiente.

Era más que predecible que en octubre de 2006, Google, y ante la competencia que le hacia a su "similar" aplicación Google Videos (competencia que no deja de ser un eufemismo, más bien diremos que lo borró del mapa), decidió comprarlo por unos 1.650 millones de dólares, mantener como ejecutivos a sus creadores con enormes sueldos y asumir todas las deudas y querellas que se mantenían abiertas contra ellos. No se pierdan el vídeo que colgaron sus fundadores ese mismo día dando la noticia "muertos de risa".

Dado que hemos decidido que lo que queremos es que nuestras imágenes lleguen hasta el ultimo rincón de la tierra, la mejor elección para compartir nuestras fotografías (sí ha oído bien, fotografías) o vídeos es YouTube. Aunque si seguimos pensando que nos gustaría que ciertas imágenes las vean sólo determinadas personas, también podemos optar por esta opción.

Al igual que en los casos anteriores, lo primero que tendrá que hacer es descargar su vídeo o fotografías al ordenador. Luego le sugerimos que los edite, ya que no podrá subir más de 10 minutos de vídeo, por lo que debe tener muy claro qué quiere enseñar y cómo, para que quede más que claro su "mensaje". Como hemos dicho, también podrá subir fotografías. Tan sólo necesita crear una presentación de sus imágenes y posteriormente guardarla en formato AVI. En un capítulo anterior vimos cómo Picasa nos daba esta opción.

Y por último, simplemente, tendrá que subirlas.

Cómo abrir una cuenta

Accedemos a la página de YouTube, a través de las herramientas de Google o tecleando directamente en nuestro navegador la dirección www.youtube.es.

En su página principal ya podremos ver una serie de vídeos entre los que se encuentran los últimos que se hayan subido o los destacados, así como el espacio disponible para teclear nuestro nombre de usuario o contraseña.

Aun si no deseamos registrarnos, podremos navegar a través de esta web e ir viendo los vídeos que en ella se muestran, a excepción de los que tengan su visión restringida, ya sea porque se necesita invitación, porque se requiera pertenecer a un foro (los cuales incluso registrados tampoco los podríamos ver) o aquéllos que por su contenido se requiera ser mayor de edad. De aquí que en el caso de YouTube cobre especial importancia el tema de la fecha de nuestro nacimiento. Si deseamos copiar su URL para pegarlo en una página Web o queremos mandárselo a alguien (mediante un vínculo o link en nuestro correo electrónico), también podremos hacerlo sin necesidad de estar registrados.

Lo que "nunca" tendrá es la opción de bajarse un vídeo. Éstos están subidos en Adobe Flash con la intención de proteger sus derechos de autor en lo que se refiere a modificar una obra, pero lo cierto es que en la red existen un montón de programas que le permitirán llevar a cabo dicha operación.

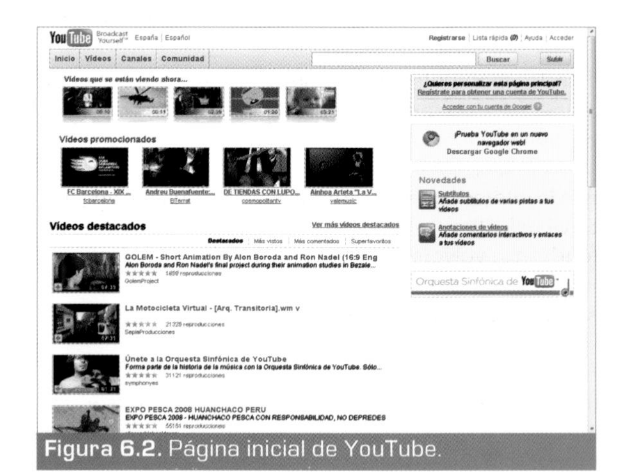

Figura 6.2. Página inicial de YouTube.

¿Cómo podemos buscar vídeos en YouTube?

Si tiene claro qué es lo que anda buscando puede introducir el título del vídeo o las palabras claves del mismo en el cuadro Buscar, que se encuentra situado en la parte superior de cada página.

También podemos hacer clic en la pestaña Vídeos y de esta forma, explorar el sitio. Aquí se nos mostraran distintos vínculos, como los de la parte superior, que le permitirán saber cuáles son los vídeos que otros usuarios han catalogado como más interesantes o simplemente cuáles son los más vistos. Recuerde que puede ir acotando su búsqueda a través de categorías.

En estos momentos seguro que se estará preguntando: ¿Entonces para qué quiero yo registrarme? Pues principalmente para poder subir sus vídeos pero, además, para poder crear listas de favoritos o de cualquier tema que le interese. De esta forma, cada vez que navegue a través de los millones de vídeos de YouTube no tendráque volverse loco buscando tal o cual vídeo que tanta gracia le hizo. Bastará con que lo envíe a cualquiera de sus listas. Listas que podremos reproducir desde la propia página o desde la página web donde esté "instalado" un reproductor, como ya hicimos en nuestro espacio de Windows Live. Así que no lo dude ni por un momento y haga clic sobre el enlace Registrarse y siga las indicaciones que le indica la propia página.

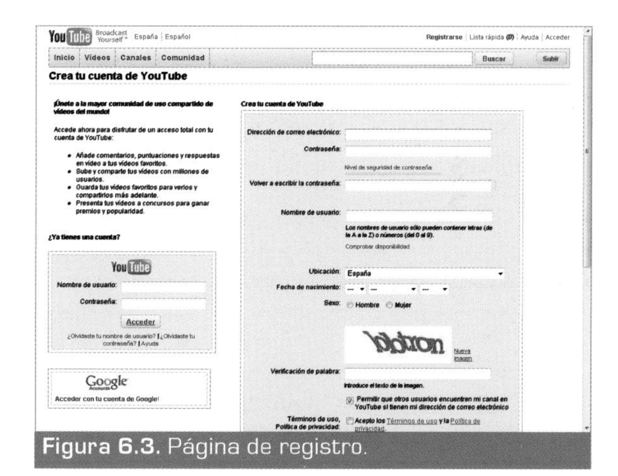

Figura 6.3. Página de registro.

Para convertirte en miembro de YouTube, una vez hayamos accedido a la página de registro, se nos pedirá una serie de datos que debemos rellenar, ellos son:

- **Dirección de correo electrónico:** Es imprescindible que sea verdadera, ya que YouTube nos enviará un mensaje de correo electrónico de confirmación a la dirección introducida.
- **Contraseña:** Con la que accederemos a nuestra cuenta.
- **Nombre de usuario:** El número de usuarios de YouTube ha experimentado un gran crecimiento en los últimos tiempos. Por este motivo, es posi-

ble que tengamos que ser originales a la hora de elegir un nombre de usuario. Haciendo clic en el enlace **Comprobar disponibilidad** sabremos si el nombre de usuario está disponible o no disponible.

Una vez hayamos introducido todos nuestros datos, recuerde introducir una fecha que le haga poseedor de la mayoría de edad, haga clic sobre **Registrarse** y la propia página nos hará saber si el registro se ha llevado a cabo con éxito. En caso afirmativo nos enviará un mensaje de correo para que validemos nuestra cuenta.

Deberemos ir entonces a nuestra cuenta de correo y abrirá. Para completar el registro bastará con que hagamos clic sobre el vínculo contenido en el mensaje.

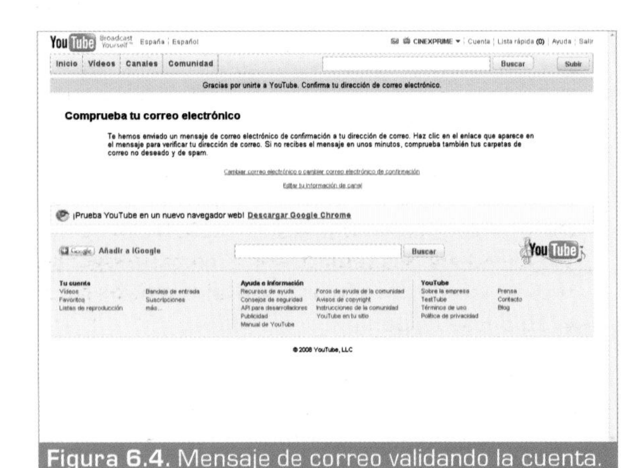

Figura 6.4. Mensaje de correo validando la cuenta.

Una vez tengamos validada nuestra cuenta podremos iniciar nuestra sesión en YouTube. Lo primero que deberemos hacer es pinchar sobre el vínculo que se ha creado con nuestro nombre de usuario en la parte superior de la página. Éste nos llevará hasta nuestro canal o espacio (figura 6.5).

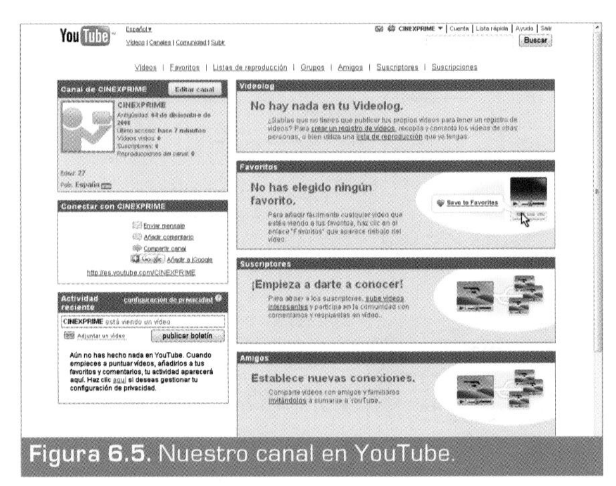

Figura 6.5. Nuestro canal en YouTube.

Simplemente dedicándole un tiempo a ir introduciendo nuestros datos y gustos terminaremos por "personalizar" la web por completo (figura 6.6).

En este espacio es donde podremos ir añadiendo nuestros vídeos favoritos o crear diferentes listas con éstos, así como crear una lista de amigos a los que invitar, abrir suscripciones o lo que se nos ocurra, incluido el diseño del propio canal (véanse las figuras 6.7 y 6.8).

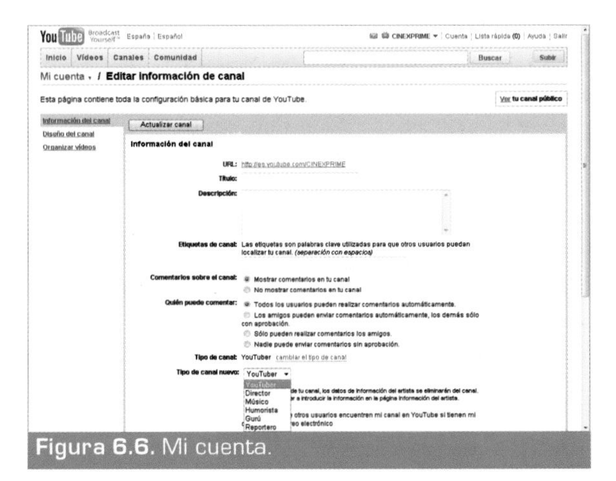

Figura 6.6. Mi cuenta.

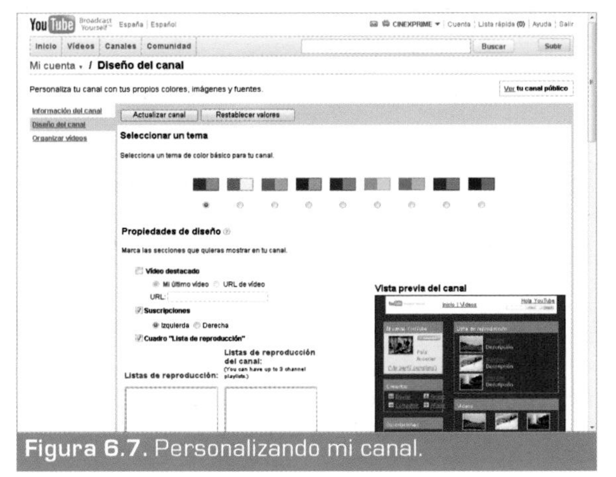

Figura 6.7. Personalizando mi canal.

Lo primero que llama la atención al personalizar nuestro canal es que podemos decidir qué tipo de canal queremos crear. Los tipos de canales son:

- **Director:** Pensado para los creadores de sus propios vídeos. Esta cuenta nos permite usar elementos personalizados y un logo en la página de perfil.
- **Músico:** Pensado para aquéllos que suben viídeos de contenido musical y cuyo copyright, obviamente, les pertenece. Al igual que en Director, este perfil nos permite añadir un logotipo personalizado, información sobre fechas de giras, género y vínculos de compra de CD en la página de perfil.
- **Humorista:** Perfil dirigido a actores y, en general, a todo aquél que esté vinculado a la interpretación. Este perfil nos permite añadir un logotipo personalizado, información sobre fechas de espectáculos y estilo y vínculos de compra de CD en la página de perfil.
- **Gurú:** En YouTube denominan Gurú a aquellas personas que son expertas en algo y que están dispuestas a compartir sus conocimientos a través de vídeos. Sus ventajas son el crear un logotipo personalizado, un género y vínculos a otros sitios Web desde su perfil.

La siguiente figura muestra el aspecto del canal que hemos ido creando como ejemplo para el actual libro. Si en lo único que ha podido fijarse es en la foto de "Scarlet Johanson", mal andamos. Hágame el favor de centrarse en lo que nos ocupa y no sea mal pensado, ya que se trata de un tutorial de cómo con Photoshop se crean todo tipo de fotomontajes.

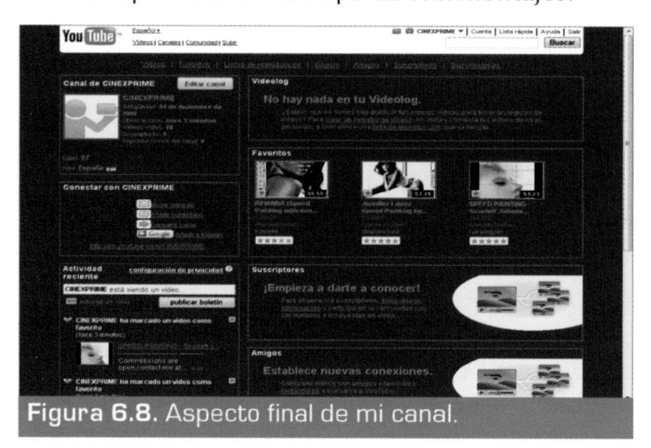

Figura 6.8. Aspecto final de mi canal.

Se lo recomiendo, y además el ejemplo nos viene estupendo para ilustrar dos aclaraciones sobre los vídeos que podemos subir. Si, por ejemplo, pensáramos subir a YouTube un vídeo como éste, tendríamos que tener en cuenta dos cosas: qué perfil seleccionamos y lo que se muestra en él.

Si el perfil elegido es estándar, no tendríamos problema en subirlo, pero si elegimos el de director no podremos o no deberíamos subirlo, ya que el mismo posee imágenes y música cuyo copyright no nos pertenece y en el momento que su legítimo dueño lo reclamase no sólo eliminarían el vídeo, sino que cancelarían nuestra cuenta. En cuanto al contenido, aún tratándose de un tutorial de PhotoShop, en él se muestran imágenes de desnudos y sobre esto, como ya ocurriera en Flickr, hay normas muy serias. Léaselas, etiquete el vídeo convenientemente y sepa que su visionado estará restringido a mayores de edad.

Aclarado todo esto, ahora viene lo que realmente nos interesa a todos. Está muy bien eso de ver vídeos de otros, pero nuestro ego nos empieza a pedir a gritos que subamos nuestras obras de arte. Recuerde que puede atar en corto a su ego limitando las personas que podrán ver sus creaciones.

¿Cómo puedo subir un vídeo?

Una vez que tenga editado su vídeo, algo que le pedimos encarecidamente que haga, no sólo por facilitar su visionado, sino porque debe ajustarse a las restricciones marcadas por la propia aplicación, como la de que nuestro vídeo tenga una duración inferior a 10 minutos, un tamaño inferior a 1024MB y un formato compatible.

Ahora sólo tenemos que hacer clic en **Subir**, que se encuentra en la esquina superior derecha, junto a la imagen de una flecha. Esto nos abrirá una nueva ventana con un formulario sobre nuestro vídeo.

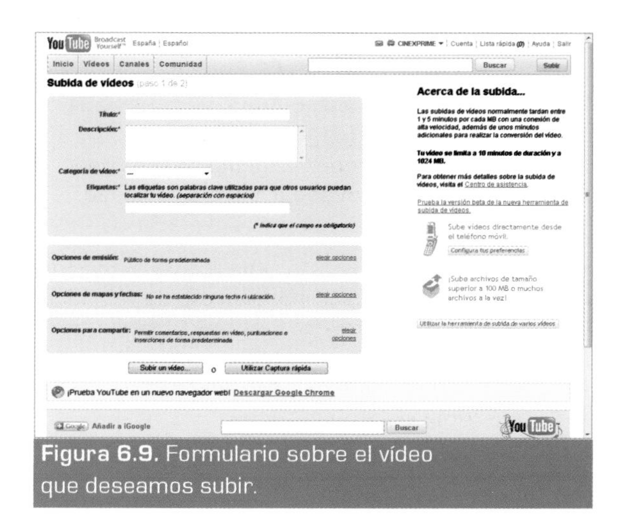

Figura 6.9. Formulario sobre el vídeo que deseamos subir.

Como recomendación, le aconsejamos que introduzca la máxima información posible sobre su vídeo, sobre todo en lo que se refiere al título y la descripción del mismo, sin olvidar tampoco incluir etiquetas y asignarle una categoría. Cuanto mayor sea la cantidad de información incluida, más fácil resultará hallarlo y, sin lugar a dudas, más veces podrá ser visto por los usuarios.

Será aquí, en este mismo cuestionario, donde podrá elegir quién quiere que vea su vídeo. Para ello sitúese en **Opciones de emisión** y haga clic sobre **elegir opciones**.

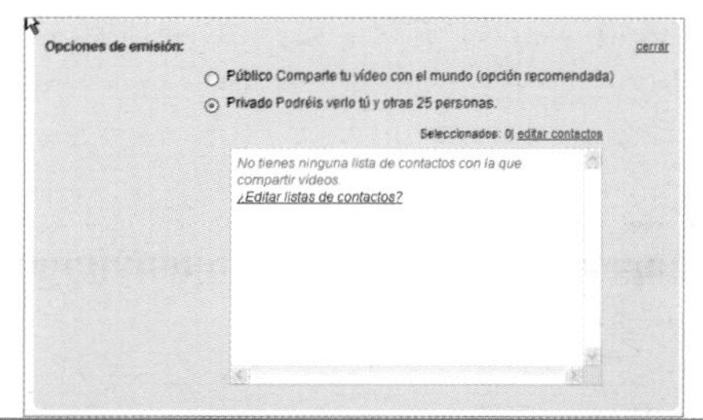

Figura 6.10. Aspecto final de mi canal.

Al hacerlo se expandirá esta pestaña y podrá marcar las opciones **Público** o **Privado**. La opción **Público** es la que viene asignada por defecto. La opción **Privado** está limitada a 25 personas, más que suficientes para lo que usted y yo entendemos como privado. Márquela e introduzca sus nombres haciendo clic en **editar contactos**. La única condición es que estas personas deben estar registradas en YouTube, ya que lo que añadirá será precisamente esto. Pero no se preocupe, desde su cuenta podrá enviar cuantas invitaciones desee a sus amigos (figura 6.11).

Al hacer clic sobre **Añadir a amigos**, se les envía una invitación a nuestros contactos, que les llegará por correo electrónico desde YouTube (figura 6.12).

La siguiente opción que podemos abrir es la de **Opciones de mapas y fechas** (dentro de la ventana de **Subida de vídeo**). Para ello bastará con hacer clic sobre **Elegir opciones**.

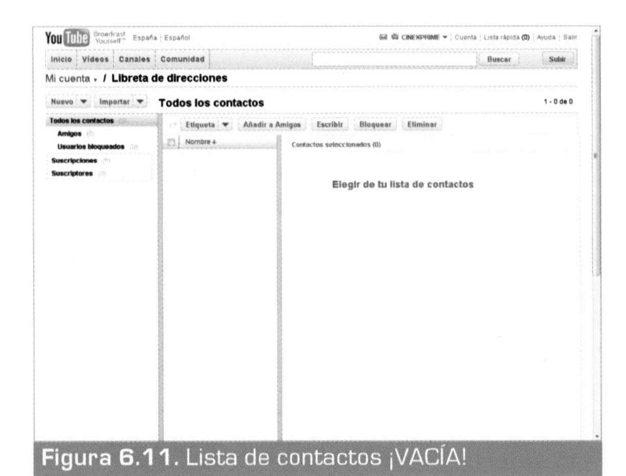

Figura 6.11. Lista de contactos ¡VACÍA!

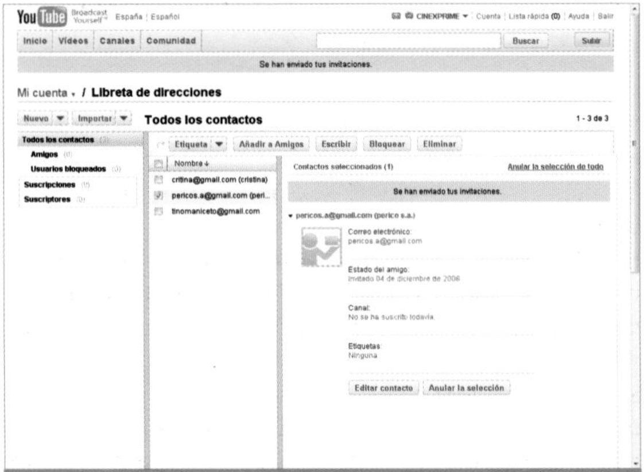

Figura 6.12. Mandando una invitación.

No olvidemos que Google adquirió recientemente YouTube y esto tenía que servirnos para algo. Ese algo es el de situar nuestro vídeo sobre el mapa de Google Maps, es decir, podemos "mapearlo".

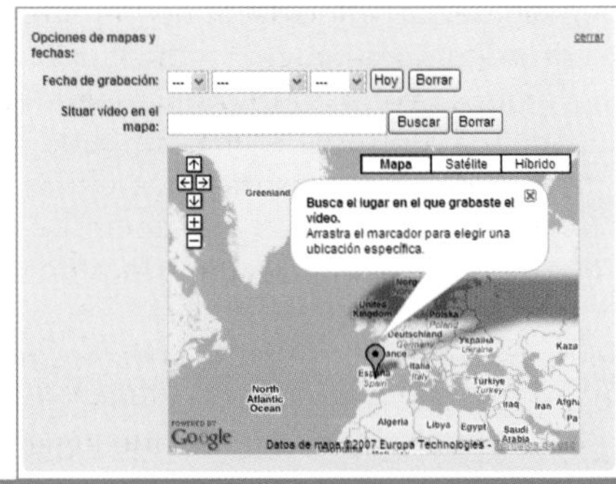

Figura 6.13. "Mapeando" nuestro vídeo.

Los pasos para hacerlo son exactamente los mismos que en el caso de Panoramio y Flickr, es decir, ir ampliando la imagen y arrastrar el puntero hasta el lugar exacto. Si quiere entrar en más detalles o si se saltó estos capítulos, ahora es el momento de echar la vista atrás y repasarlos.

Por último, elija entre las distintas opciones que le ofrece YouTube para definir ciertos rasgos del vídeo a la hora de exhibirlo o compartirlo con el resto de los mortales. A saber: si queremos o no que puedan hacer comentarios sobre nuestro vídeo, quién y cómo.

El cómo no es más que nos reservamos la opción de moderarlos eliminando aquéllos que no se ajusten a las pautas que nos marquemos (o simplemente eliminar toda crítica no constructiva). También podemos dar la opción de que puedan puntuarlo y que dicha puntuación aparezca reflejada. Si no permite que lo puntúen, su vídeo no aparecerá nunca en la lista de los más valorados: esto último por un tema claro de teoría publicitaria, que cuanto más se hable de uno, más se hablará de uno. Cuantas más visitas tenga, crecerá de forma exponencial el número de visitas. Vamos, que siempre dan más al que más tiene.

Y por último podemos elegir entre si damos permiso para que nuestro vídeo pueda ser colocado hasta en la última página web del más recóndito lugar o no.

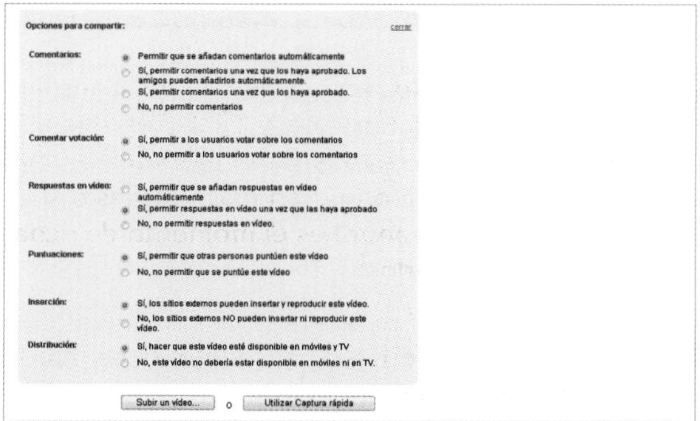

Figura 6.14. Características a la hora de compartir nuestro vídeo.

Ya está. Ahora sólo tendremos que hacer clic sobre **Subir un vídeo** y ahora sí que empezará a subir el vídeo al servidor de YouTube.

Puede que antes de hacer clic sobre **Subir un vídeo** se haya preguntado qué es eso de **Utilizar captura rápida** que aparece justo al lado. Puede incluso que ya lo haya pulsado al pensar "por qué voy a hacerlo despacio, como en el libro, si puedo hacerlo mucho más rápido", o puede que sea de los que sigue el libro "a pies juntillas" y simplemente lo haya ignorado... ¡hasta ahora! Pues bien, sepa que no se trata de ningún UpLoader como los que vimos para subir fotografías o como otros que existen para subir sus vídeos a YouTube o Google Videos, sino que se trata simplemente del "botón" que nos lleva directamente a nuestra Cámara Web.

Al hacer clic sobre **Utilizar captura rápida** se nos abrirá una ventana con la imagen de la cámara Web que tenga conectada. Si no fuera así, le mostrará los distintos dispositivos de vídeo o captura que tenga instalados, es decir, que si usted tiene una tarjeta capturadora de televisión, ésta se detectará y podrá elegirla en vez de su cámara Web. ¿Por qué le contamos esto? Porque si tiene claro que quiere subir a YouTube imágenes de un canal de televisión que haya sintonizado previamente con su tarjeta, lo estará grabando de forma directa con los parámetros y tipo de fichero idóneos para lograr una calidad aceptable y una rápida subida. Lo mismo si usted cuenta con una cámara de vídeo que pueda conectar a su ordenador, ya que la detectará y podrá volcar de forma rápida la parte del vídeo que desee.

Una vez seleccionado el dispositivo no tiene más hacer clic sobre **Record**. Si va a utilizar su cámara Web para grabarse, no olvide cuidar el encuadre. Evite aparecer demasiado cerca de ésta para que no le deforme o le muestre demasiado alejado, con lo que no se le podrá reconocer. Cuide la iluminación. Cuando uno se pone delante de una de estas cámaras piensa que el otro le va a ver como en las películas, en todo su esplendor, pero lo cierto es que lo más habitual es que se le vea totalmente negro, ya no por falta de luz sino por los contraluces que suelen producirse por las ventanas de nuestras habitaciones. Recuerde iluminar primero bien su rostro y luego añadir algún tipo de luz de relleno. Todo esto, claro está, siempre y cuando no persiga lograr "A propósito" el efecto contrario y llenar de defectos o efectos no deseados su vídeo, ya que las normas están para saltárselas.

El tema de haber puesto este enlace de subida rápida, está pensado para aquéllos que suben los famosos Vídeoblog, en los cuales aparece gente, hablando a la cámara, de lo divino y de lo humano, pero sobre todo de sus vidas. Todo un género dentro de los vídeos.

Figura 6.15. Grabando directamente con nuestra cámara Web.

Recapitulando, recordemos que acabamos de decidir todos y cada uno de los parámetros de nuestro vídeo y que ya hemos hecho clic sobre **Subir un vídeo**. Hasta aquí bien. Ahora aparecerá ante usted una nueva página en la que tendrá que seleccionar su vídeo. Para ello haga clic en **Examinar** y vaya a la carpeta donde lo tiene guardado. Una vez abierta, selecciónelo y pulse **Abrir** o directamente haga doble clic sobre él. Una vez aparezca su vídeo seleccionado haga clic en **Subir vídeo** (figura 6.16).

Ahora déjenos que le mostremos las recomendaciones que, desde la propia página de YouTube, dan a sus usuarios de cuál es la configuración ideal para subir nuestro vídeo. En primer lugar convierta sus imágenes a formato MPG4, es decir, DivX o XviD. Déle una resolución de 320x240, tamaño más que suficiente para ser vistos en los reproductores de YouTube, cuya pantalla no es muy grande. El tema, obviamente cambia cuando decidimos visualizar el vídeo a pantalla completa, pero esto no es lo normal. Y por último seleccione compresión de audio en calidad Mp3 y una velocidad de 30 fotogramas por segundo.

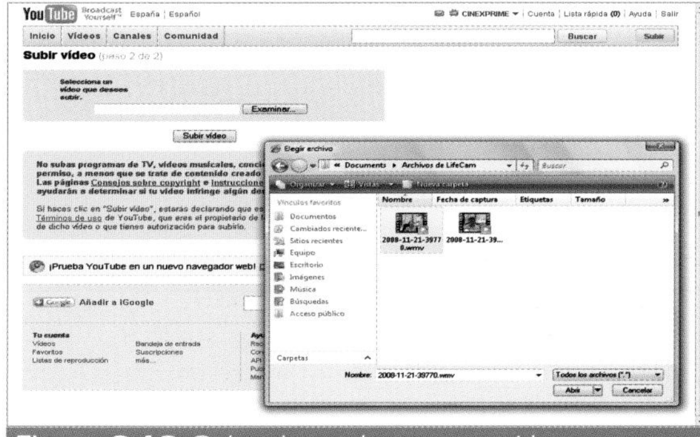

Figura 6.16. Seleccionando nuestro vídeo.

Si ha seguido nuestros pasos, se ha fiado de nuestras recomendaciones y ha acatado, como Dios manda, las reglas de YouTube, habrá publicado con éxito su primer vídeo, lo que quiere decir que mucha gente podrá, a partir de ahora, disfrutar de él. ¡Enhorabuena!

Como podrá ver, al mismo tiempo que se ha subido su vídeo al servidor, la página ha generado un código sobre el mismo para que pueda enlazarlo desde cualquier sitio Web, lo que incluye, como veremos más adelante, los Blog, que es donde realmente han sabido explotar mejor que nadie el servicio de YouTube.

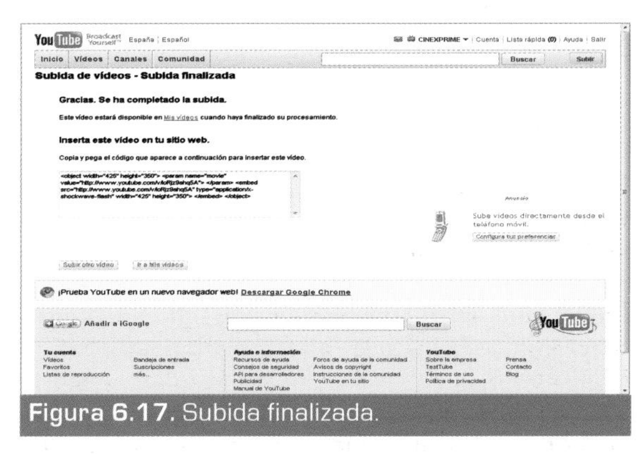

Figura 6.17. Subida finalizada.

El tiempo que nos puede llevar subir un vídeo dependerá de la velocidad de conexión y el tamaño del vídeo, por lo que subir un vídeo puede llevarnos desde, simplemente, unos minutos, hasta unas cuantas y desesperantes horas. Por lo general, de media, si dispone de una conexión a Internet de alta velocidad (ADSL), el tiempo de subida le oscilará entre 1 y 5 minutos por MB. Esta oscilación viene marcada por las variaciones que sobre un mismo servicio se producen en las velocidades de conexión, ya sean externas, como por la propia configuración de nuestro *router* o de nuestro PC.

Aun yéndole todo estupendo durante la subida y habiendo recibido la confirmación de la misma, como podrá comprobar, su vídeo no estará disponible en la página, de YouTube nada más subirlo, sino que este aún tardará un tiempo. Tiempo en el que será chequeado y comprobado de forma que nuestro vídeo no infrinja ninguna de las prohibiciones o limitaciones impuestas por sus moderadores.

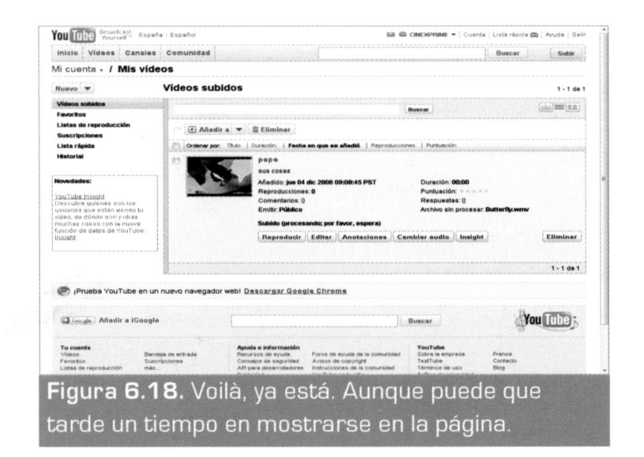

Figura 6.18. Voilà, ya está. Aunque puede que tarde un tiempo en mostrarse en la página.

Mientras esto se produce, usted, si lo desea, puede ir subiendo nuevos vídeos ya que, actualmente, no existe ningún límite respecto al número de vídeos que se pueden subir.

Para su tranquilidad tenga también presente que si por cualquier motivo, en un momento o en otro, usted se arrepiente de haber subido un vídeo determinado, puede eliminarlo con toda facilidad o si lo prefiere, simplemente cambiarle el atributo de vídeo PÚBLICO por el de PRIVADO y decidir qué personas podrán verlo a partir de ahora. Como lo que realmente hace YouTube cuando "colgamos" un vídeo en otro sitio Web, es crear un enlace, este cambiará y no podrá verse más desde esa página. Eso sí, píense que, aunque YouTube no nos lo permite, puede que alguien se lo haya descargado usando una de las muchas aplicaciones disponibles en Internet que nos facilitan esta tarea.

Para cambiar los atributos de su vídeo, acceda a Mis Vídeos y haga clic en el botón **Editar** situado junto al vídeo en cuestión. Desplácese a la sección Opciones para compartir y emitir vídeos y seleccione la opción Privado. Seguidamente seleccione la lista de contactos o modifíquela.

Otra de las operaciones que podemos llevar a cabo, una vez que hayamos subido nuestro vídeo, es la de su "edición" que en este caso no hace referencia al significado clásico del término de edición como montaje, en el que podemos cortar, pegar, modificar y/o añadir planos, música y efectos, sino el de sus propiedades. Así pues, en primer lugar nos permite seleccionar un fotograma del vídeo con el que identificar el mismo. Este fotograma no tiene por qué ser necesariamente el primero, sino que debemos escoger uno que defina a la perfección lo que en él se muestra.

Aquí, también, podremos cambiarle el título y añadirle una descripción así como nuevas etiquetas o modificar su categoría.

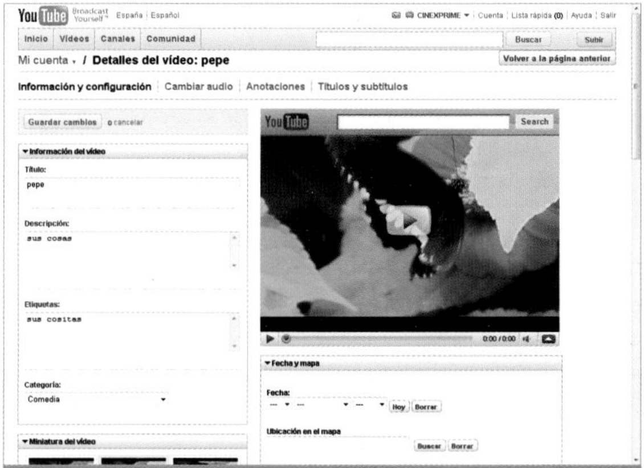

Figura 6.19. Información y configuración del vídeo.

Ahora si lo desea puede crear una lista de reproducción, que no es más que aquella lista donde puede alojar, incluido el suyo, todos aquellos vídeos que desea reproducir, algo que hará enlazando uno tras otro. Para ello haga simplemente clic sobre el botón de reproducir. Esto es realmente útil cuando usted posee un blog o una página web al que le ha añadido un reproductor de vídeo y lo ha configurado de forma que en vez de reproducirle un único vídeo, le reproducirá la lista de reproducción. De esta forma podrá (podrán) ver todos sus vídeos, sin tener que ir seleccionándolos, simplemente tendrá que sentarse frente a su monitor y disfrutar de ellos.

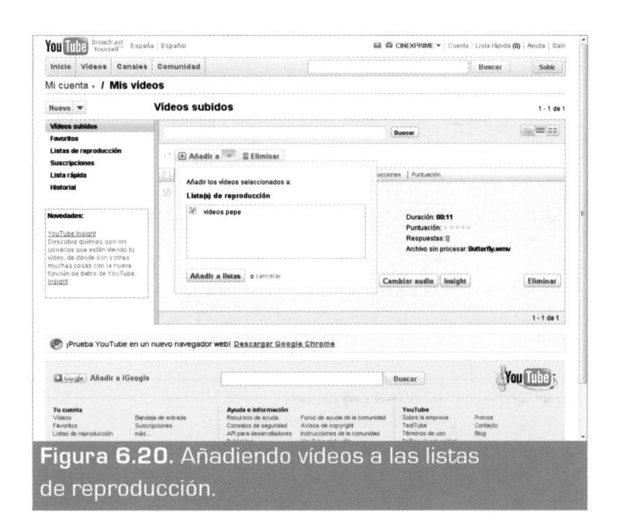

Figura 6.20. Añadiendo vídeos a las listas de reproducción.

Y aprovechando que hemos tocado el tema de la "edición" de los vídeos, sólo contarle que YouTube pone a su disposición una herramienta desarrollada por Adobe, llamada YouTube Remixer y que no es otra cosa que la versión Beta de un nuevo servicio que quiere empezar a implantar Adobe, ofreciendo sus famosos programas de edición, tanto Premiere como Photoshop, a través de la red, y no precisamente descargándonoslo, sino que son aplicaciones que funcionan y se usan desde el propio servidor.

Para utilizar Remixer, puede acceder desde la página de tu cuenta, y seleccionar la opción Mis vídeos, una vez allí tendrá que hacer clic en el botón **Mezclar vídeo** situado junto a los vídeos. Esta herramienta sólo podrás utilizarla con sus propios vídeos y le permitirá reorganizarlos, añadir transiciones y elementos gráficos o elegir pistas de audio para realizar nuevas mezclas. Desde aquí le animamos a que lo use y experimente aprovechando todas y cada una de sus herramientas.

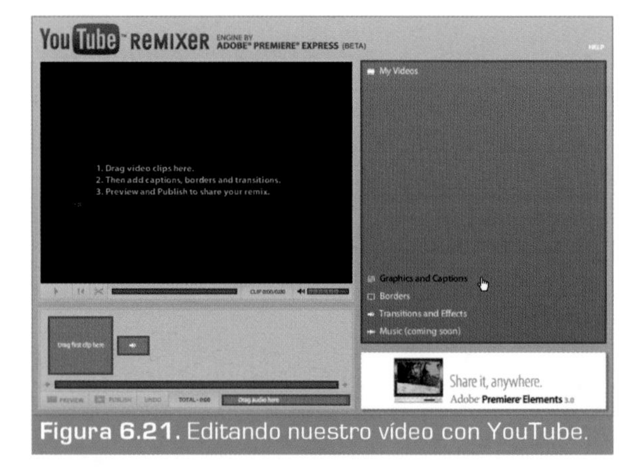

Figura 6.21. Editando nuestro vídeo con YouTube.

Y hasta aquí todo lo referido a lo de los fenómenos mediáticos del momento, pero, ¿qué le parece si echamos por encima un vistazo al servicio que nos ofrece Google para, también, subir nuestros vídeos?

Google Video

Google Video es un servicio que nos permite subir clips de vídeo a sus servidores para que cualquier persona los pueda buscar y ver directamente desde su ordenador. ¿Le suena?

Curiosamente, y como seguramente ya sabrá, ambos servicios, YouTube y Google Video tienen un mismo dueño que no es otro que Google. Ambos nacieron casi a la par. No está muy claro quién fue el primero (hay versiones para todos los gustos), lo que sí es cierto es que ambas nacieron con la idea de ofrecer una serie de servicios con fines bien distintos y sobre todo con herramientas y motores completamente diferentes entre sí. El resto es ya historia, así que siguiendo nuestra costumbre, permítanos que se la contemos rápidamente (figura 6.22).

Google Inc. es una compañía cuyo principal producto es el motor de búsqueda del mismo nombre y fue fundada el 27 de septiembre de 1998 por dos estudiantes de doctorado en Ciencias de la Computación de la Universidad de Stanford. Sus nombres, por si quiere saberlos, son Larry Page y Sergey Brin.

Aunque su principal producto es el buscador, Google, la compañía ofrece también otros muchos servicios, como ya hemos podido comprobar y como comprobaremos un par de capítulos más adelante.

Figura 6.22. Página principal de Google Video.

Y como suele pasar, antes o después se les termina subiendo el éxito a la cabeza y terminan diciendo cosas como éstas... y para muestra un botón:

"Nuestra misión es organizar la información del mundo, y eso incluye los miles de programas de televisión de cada día. Google Video permite buscar en un creciente archivo de contenido televisivo - cualquier cosa desde deportes a documentales de televisión o programas de noticias".

"Casi ná" que diría un castizo. Pero en esta definición que se dan a sí mismos de su servicio de vídeo se encuentra la principal diferencia con YouTube y es que, además de pretender indexar la mayor cantidad posible de vídeos "familiares", su objetivo es el de llegar a tener todos los programas televisivos del mundo. Es por esto que en la actualidad ofrece dos tipos de servicios, uno orientado a los usuarios finales, que permite a cualquiera subir archivos de vídeo, y otro que permite a los creadores de contenido multimedia distribuir sus creaciones pagando una pequeña tarifa.

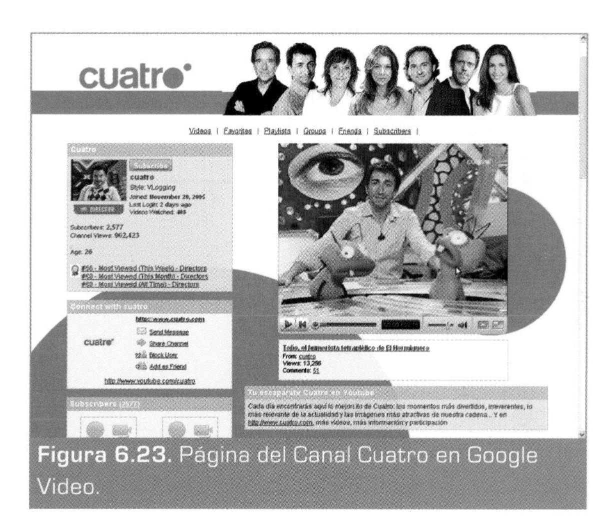

Figura 6.23. Página del Canal Cuatro en Google Video.

Y como final a este pequeño repaso histórico, una fecha a destacar, la del 9 de enero de 2006, día en el que Google puso a disposición de sus usuarios su propio reproductor de vídeo y añadió la posibilidad de descargar los vídeos de su página en formato .avi, y en formato .mp4 preparado para iPod y PSP (recuerde que en YouTube, a día de hoy, esta posibilidad está completamente descartada).

Dicho esto, sepa que no nos extenderemos demasiado con la aplicación de Google, ya que en muchos casos es muy similar a YouTube y sólo nos detendremos en aquellas partes que destacan, precisamente, por ofrecernos algo, realmente útil y que no nos ofrezca YouTube (una ya se la hemos apuntado).

Como verá, incluso muchos de los vídeos que podemos encontrar expuestos en Google Video son del propio YouTube.

Para empezar a utilizar la aplicación deberemos, como siempre, registrarnos. Seguro que ya ha perdido la cuenta de cuántos registros y formularios llevamos completados desde que abrió la primera página de este libro. No se preocupe, si ya dispone de una cuenta en Google puede utilizarla tal cual.

Al abrir la página de Google Video, lo primero que le llamará la atención es lo austero de su diseño. Desconocemos si esto es algo perseguido o es algo pasajero al encontrarse la aplicación en "estado" de Beta. Lo cierto es que cuenta con lo imprescindible, pero muy a mano.

Otra de las diferencias, a primera vista, con YouTube, es la de calidad de la imagen. Algo más que apreciable cuando decidimos ver un vídeo y éste se abre en una ventana claramente mucho más grande que la del reproductor de YouTube. Y aunque la limitación de 100MB es común a ambas páginas, el motor del reproductor, diseñado expresamente por Google, logra imágenes con mayor nitidez.

Una vez que hemos localizado el vídeo que nos interesa, podremos verlo ampliado simplemente haciendo doble clic sobre éste. Además de poder verlo sin lugar a dudas más grande, también tendremos la posibilidad de acceder a una serie de interesantes herramientas que nos facilitaran la copia de cada uno de los vídeos (figura 6.24).

Como pronto comprobará, el botón de descarga no siempre le aparecerá junto al vídeo que esté visionando. Lo más probable es que en la mayoría de los casos pueda descargarlo y en ese caso, aparecerá el enlace **Descargar vídeo**. El hecho de que no aparezca se debe a que los proveedores de contenido, es decir, los usuarios que los han subido o los auténticos propietarios de su copyright pueden decidir que sus vídeos no estén disponibles para ser descargados.

Si el vídeo no está alojado en Google Video, deberá consultar la información de la página web en la que lo está, para averiguar si es posible descargarlo. Recuerde que todos aquellos vídeos alojados en YouTube (vienen indicados con una mosca) de momento no pueden ser descargados.

Figura 6.24. Vídeo ampliado.

Vamos con los que sí podemos descargarnos.

En primer lugar, siempre contaremos con la opción de mandarlo por correo electrónico a la persona que queramos, para ello simplemente debe hacer clic sobre el botón **Compartir**. Se nos desplegará una nueva ventana, en el marco izquierdo de la misma seleccionaremos la opción **Correo electrónico**, donde deberá introducir los datos del destinatario así como un mensaje si lo creyese necesario. Tenga en cuenta que no estará enviando el vídeo en sí, sino un vínculo del mismo, de forma que el destinatario al pinchar sobre éste, pueda acceder a su visionado.

Lo que sí es exclusivo de los vídeos sin restricción alguna en Google Video, es la de poder "descargárnoslo" a nuestro iPod o a nuestra PSP. Para ello bastará con que elija la opción **Descargar vídeo - iPod/PSP** tal y como muestra la figura 6.25.

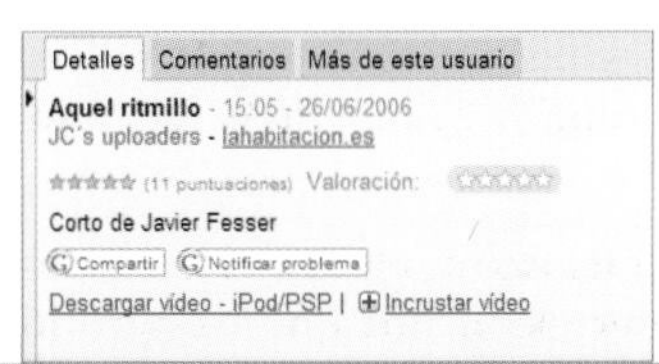

Figura 6.25. Descargándolo a nuestro iPod o PSP.

Si al igual que en el caso de los vídeos de YouTube, lo que quisiera es pegarlos a su página web, simplemente deberá hacer clic sobre **Incrustar vídeo** con lo que le aparecerá, justo debajo de dicho enlace, el código que deberá copiar y pegar junto al resto de códigos que configuran su página web (figura 6.26).

Pero para poder bajar antes hay que poder subir.

Como ya le hemos dicho, esta aplicación se encuentra en estado de "Beta", o lo que es lo mismo, en pruebas, y no sabemos muy bien qué tipo de baremos, fórmulas y algoritmos utiliza Google (de hecho esto es algo que muchos andan intentando descubrir con la finalidad de lograr que sus páginas siempre aparezcan las primeras en cada búsqueda de Google), pero lo cierto es que en la versión en castellano unas veces nos lleva hasta una pantalla en la que aparece bajo el logotipo de Google la palabra Videos y otras la expresión Videos España y en cada caso el formulario inicial de subida varía. Y no tenemos ni idea cual de ellas será la que resulte "ganadora".

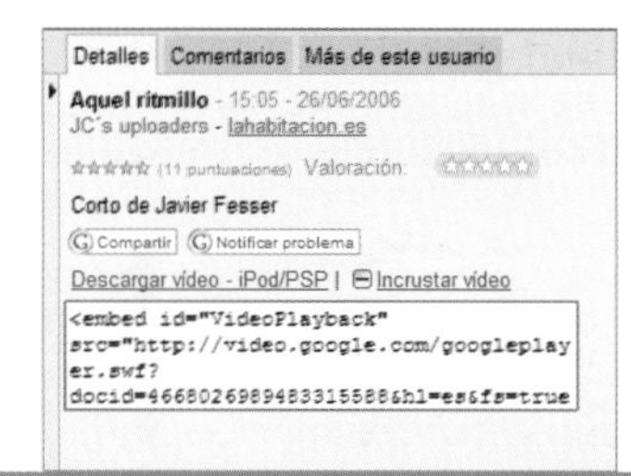

Figura 6.26. Código HTML del vídeo.

Como en el fondo de la cuestión no hay muchas diferencias le mostramos el camino o proceso largo, si usted se encuentra con el camino mas corto, felicidades y siga nuestras indicaciones. En primer lugar Google Vídeo le ofrecerá la opción de elegir entre subir su vídeo desde la propía página web o utilizar un Uploader o cargador desde el escritorio de su ordenador.

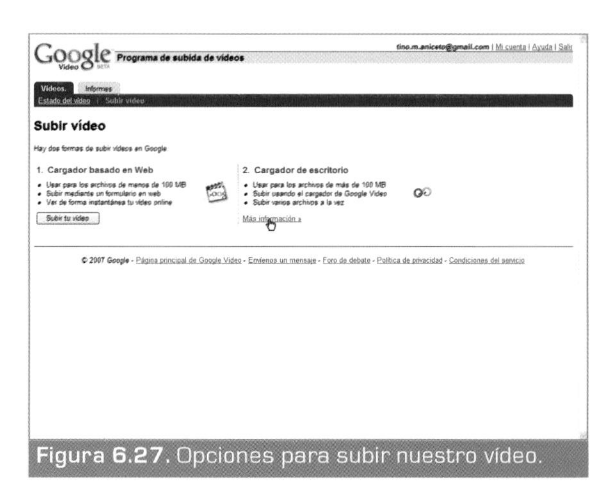

Figura 6.27. Opciones para subir nuestro vídeo.

Hay dos formas de subir vídeos a Google Video. Si tu vídeo tiene menos de 100 MB, la forma más fácil y rápida de subirlo es hacerlo a través de la Web.

Para añadirlo no necesita más que hacer clic sobre **Examinar** y que abra el archivo una vez localizado y marcado. Finalmente haga clic sobre **Subir vídeo** (véase la figura 6.28).

Si por el contrario prefiere utilizar el programa con el que subir sus vídeos directamente desde el escritorio nos dará a elegir entre las distintas versiones que existen del mismo para cada sistema operativo (figura 6.29).

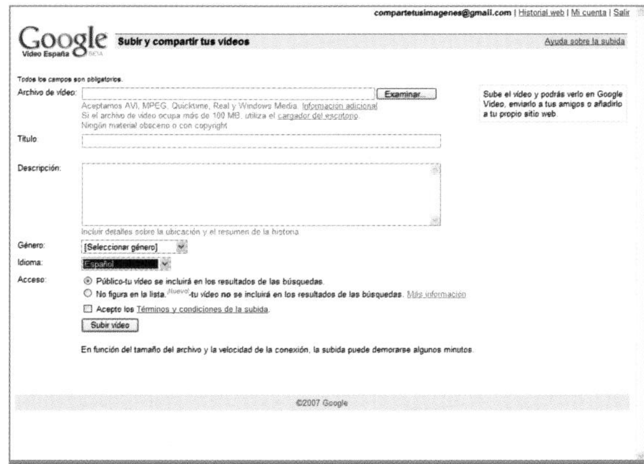

Figura 6.28. Subiendo el vídeo desde la Web.

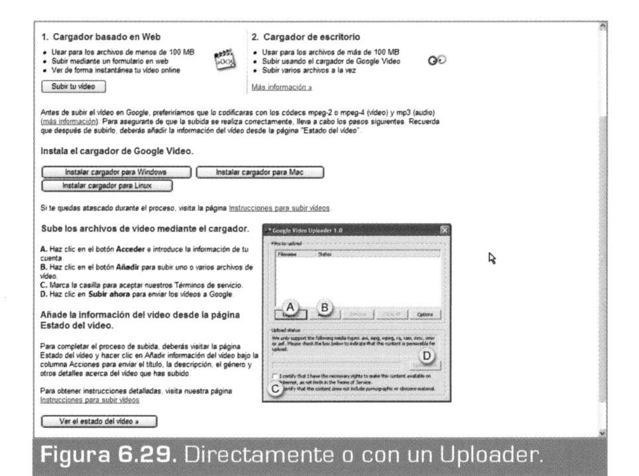

Figura 6.29. Directamente o con un Uploader.

Haga clic sobre el que corresponda a su ordenador y tras descargárselo, ejecute el programa. Una vez instalado ábralo. Al hacerlo encontrará una pequeña y muy sencilla consola con apenas seis botones.

Para subir un vídeo sólo tendrá que ir a la carpeta donde tenga guardado el archivo y arrastrarlo hasta el escritorio del programa (figura 6.30). Una vez lo tenga colocado deberá hacer clic sobre **Login...**, lo que le abrirá una ventana pidiéndole la dirección de correo con la que se registró en Google Video y su correspondiente contraseña (figura 6.31). En el botón de **Options** podrá seleccionar todas las opciones que desee relacionadas con el vídeo que quiere subir. Por último haga clic en **Upload now.**

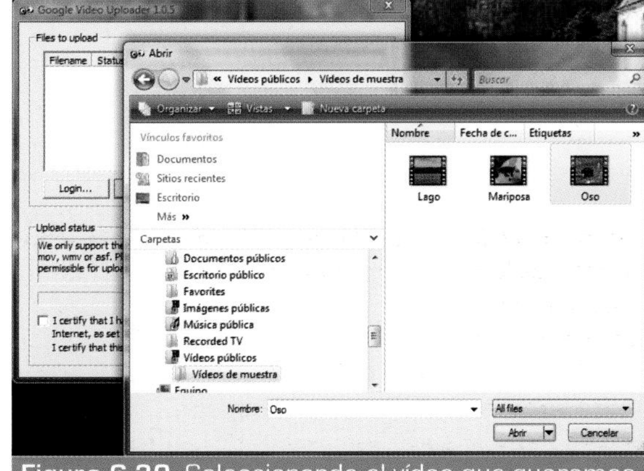

Figura 6.30. Seleccionando el vídeo que queremos.

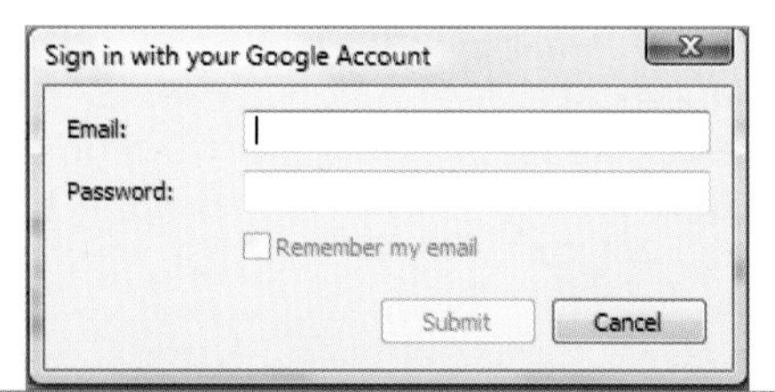

Figura 6.31. Contraseña y nombre de usuario.

Sobre el propio programa podremos ir observando el proceso de subida del vídeo a Google Video (véase la figura 6.32). Sea cual sea la opción que haya elegido, ésta será la más apropiada.

Ya tiene sus vídeos subidos a la red y con ello ha conseguido lo que buscaba, que alguien viera estas imágenes desde algún lugar remoto. Si tomó la decisión de hacerlo público puede que termine sorprendiéndose hasta donde ha llegado, si no, al menos, seguro que se ha sorprendido de lo sencillo y fácil que le ha resultado llevar a cabo esta tarea.

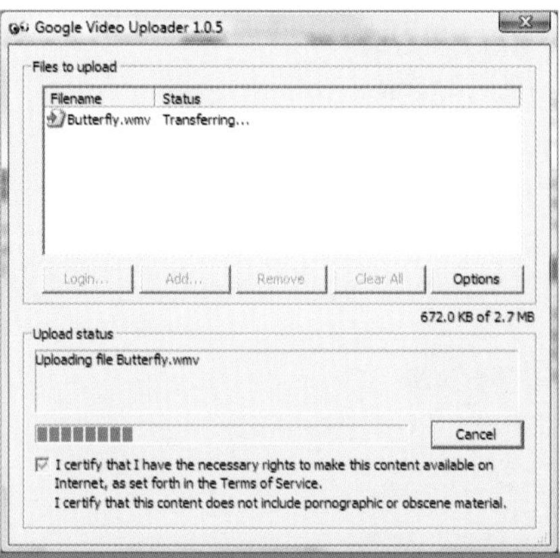

Figura 6.32. Cargador.

Pero esto es sólo el principio. Estas páginas tienen un fin que va más allá de "colgar vídeos" en sus páginas web, y éste es justamente el contrario, que usted tenga la oportunidad de colgarlos en su propia página web.

REDES P2P eMule Y Pando

Muchos se preguntarán qué diablos es eso del P2P e incluso puede que muchos que sí lo saben, que lo usan y lo disfrutan no tengan ni idea de qué significan las siglas P2P, más allá de "mulas" y "elefantes". Pues sepa que una red P2P no es más que una red informática para compartir archivos "entre iguales", y de ahí lo de P2P, "palabro" surgido de la expresión inglesa *peer-to-peer* y de la manía de los americanos de utilizar números para expresar ciertas palabras o preposiciones de sonido similar. En español bien podríamos traducirlo como "de par a par" o "de punto a punto", pero al final, lo que conoce la gente es "la Mula" o el eMule.

Pero, ¿qué es realmente una red P2P? Pues no es más que una red que se establece sin clientes ni servidores fijos, sino a base de una serie de nodos que se comportan de forma simultanea como clientes y servidores de los demás nodos de esa red. Piense por un momento cómo funciona la red a la que está usted conectado habitualmente desde su casa. En esta red existe un cliente que es su propio PC y un servidor que es propiedad del proveedor del servicio de ADSL, al que está usted conectado a través de la línea de teléfono. Este tipo de red se rige por una arquitectura monolítica donde no hay distribución de tareas entre sí, sólo una simple comunicación entre un usuario y su terminal, en donde el cliente y el servidor no pueden cambiar de roles.

Las redes de ordenadores "P2P" son redes que aprovechan, administran y optimizan el uso de banda ancha que acumulan los usuarios de una red por medio de la conectividad entre los mismos usuarios. El resultado, un rendimiento mayor en las transferencias.

Esta peculiaridad hace que estas redes sean especialmente útiles para servicios de telefonía por Internet o VoIP, como Skype, o para la realización de grandes cálculos científicos pero, seamos sinceros, para lo que realmente lo utiliza el 90% de los internautas es simple y puramente para compartir toda clase de archivos, al minimizar de forma clara el tiempo de descarga.

Sepa también que cualquier nodo puede iniciar, detener o completar una transmisión y que la eficacia de la misma puede variar según la configuración de nuestro ordenador y/o red, es decir, de cómo configuremos cortafuegos, routers, el ancho de banda, la velocidad disco duro, las conexiones, etc.

Figura 7.1. eMule 0.49b.

Un poco de historia. La primera aplicación P2P fue Hotline Connect, desarrollada en 1996 para el sistema operativo Mac OS por el joven programador australiano Adam Hinkley. Hotline Connect, distribuido por Hotline Communications, pretendía ser una plataforma de distribución de archivos destinada a empresas y universidades, pero no tardó en servir de intercambio de casi todo tipo de archivos, especialmente aquellos de contenido ilegal y muchos de contenido pornográfico. Sin embargo, también se podían compartir archivos con contenidos de libre distribución.

Este sistema ya estaba descentralizado. Los archivos se almacenaban en los ordenadores de los propios usuarios, que se prestaban a funcionar como servidores, permitiendo o no también ellos la entrada de usuarios o "clientes" que pudieran acceder a sus archivos. El problema venia cuando "cerraba" un servidor, ya que dejaba de existir un lugar del cual seguir descargando ese archivo, no quedando más remedio que cancelar la descarga y empezar de cero en otro servidor. Esto y el ser una aplicación para una plataforma minoritaria como Mac OS, terminó por dejarlo obsoleto.

En 1999 nace Napster, al cual muchos le atribuyen, erróneamente, la invención de P2P. Napster utilizaba servidores centrales para almacenar la lista de equipos y los archivos que proporcionaba cada uno, con lo que no era una aplicación puramente *peer to peer*. Napster adquirió gran fama por presentarse ante el mundo como la primera aplicación para PC especializada en archivos de música mp3.

Estos dos motivos fueron, precisamente, la perdición de Napster. En diciembre de 1999, varias discográficas estadounidenses demandaron a Napster y su posterior "cierre" (pasó a ser un servicio de pago), aunque realmente dicha demanda no hizo más que publicitarla y dar a conocer al "gran público" su existencia o la de redes similares.

La lucha de las discográficas y sus éxitos cerrando redes de intercambio que aún eran redes centralizadas, terminó logrando el efecto contrario al deseado. Es decir, animó a muchos a desarrollar redes descentralizadas, que al no depender de un servidor central, dificultaba el rastreo de los intercambios ilegales de archivos, lo que hacía prácticamente imposible su cierre.

En 2001 nace, entre otras, Kazaa y el protocolo FastTrack, ambos creados por los suecos Niklas Zennstrom y Janus Friisentre. Algo más tarde aparecería eDonkey2000 y con este nuevos clientes basados en su protocolo, entre ellos Lphant y eMule. Su nombre es un apócope de *electronic mule*, en inglés literalmente "mula electrónica", haciendo referencia a eDonkey (burro electrónico).

El proyecto eMule fue iniciado el 13 de mayo de 2002 por Hendrink Breitkreuz (también conocido como Merkur) que no estaba satisfecho con el cliente original. Con el tiempo, siete desarrolladores más se unieron al proyecto. El sitio Web del proyecto fue lanzado el 8 de diciembre de ese mismo año. Desde ese momento, eMule ha sido descargado alrededor de 300 millones de veces

Actualmente el proyecto está formado por dieciséis personas: dos desarrolladores, dos coordinadores de proyecto (incluyendo al fundador, Breitkreuz), tres testadores y nueve depuradores. El sitio oficial es mantenido por siete desarrolladores y cuatro moderadores o administradores. Hoy en día también existen programas derivados para ser utilizados en otros sistemas operativos como xMule o aMule.

Otro paso importante lo marcaría el protocolo BitTorrent, que pese a tener muchas similitudes con eDonkey2000 y proporcionar una mayor velocidad de descarga, hoy por hoy lo logra a costa de una menor variedad y longevidad de los archivos en la red, lo que unido a una menor facilidad de uso lo mantiene relegado a una minoría de usuarios.

eMule

Como siempre, lo primero será bajarnos el programa eMule. Puede dirigirse a una de las miles de páginas que le ofrecen su descarga o directamente a la página oficial de este. Recuerde que eMule es un programa gratuito, así que huya de todas aquellas que le piden un pago por su descarga, ya sea PayPal, SMS o cualquier otra variante.

El programa se encuentra traducido al español y periódicamente van apareciendo nuevas versiones o mejoras realizadas por los propios usuarios. Es recomendable que siempre tenga instalada la ultima versión que, en el momento de escribir estas líneas, va por la 0.49b. El propio programa le advertirá cuando se encuentre disponible una nueva versión.

La última versión del programa (0.49b) se instala a través de un asistente, por lo que no tendremos más que ir siguiendo sus pasos.

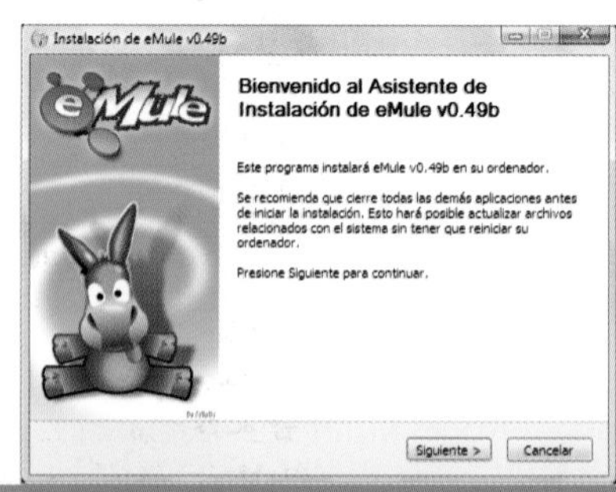

Figura 7.2. Pantalla de inicio del asistente de instalación.

Por último, una vez finalizada su instalación nos preguntará si deseamos instalar accesos directos en nuestro escritorio, si deseamos que arranque de forma automática cada vez que iniciemos Windows y si queremos instalar los archivos de ayuda. A partir de la versión 0.48, estos archivos de ayuda hay que descargarlos por separado y añadirlo a las carpetas del programa.

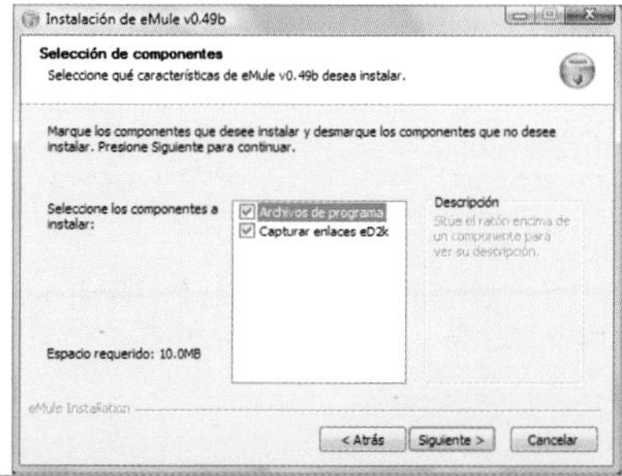

Figura 7.3. Componentes que nos permiten instalar eMule en nuestro PC.

La primera vez que abramos el programa volverá a parecer ante nosotros un nuevo asistente. Esta vez nos guiará a través de los pasos que debemos seguir para configurar correctamente eMule. Como recomendación le diremos que hasta que haya leído bien todas las ayudas y consultado unos cuantos foros, es más que recomendable que instale siempre las opciones que aparecen por defecto o las señaladas como "recomendado".

Figura 7.4. Asistente de configuración de eMule.

Durante el proceso de configuración, el asistente le permitirá realizar diversas pruebas por si fuera necesario hacer cambios en las configuraciones de su ordenador o router.

NOTA

Si en su PC hay instalado un antivirus, éste le indicará en algún momento que una nueva aplicación está intentando establecer una comunicación con Internet. Debe permitirla o, de lo contrario, no podrá usar eMule.

Ahora ya puede empezar a utilizar su "mula" con la que podrá compartir todo tipo de archivos. Para ello lo primero que tendrá que hacer es hacer clic sobre el icono **Conectar** de la aplicación. Si previamente ha activado la ventana de **Servidores**, podrá observar una larga lista de éstos. eMule intentará conectarse con uno cualquiera de ellos, salvo que usted elija directamente el que más le convenga haciendo doble clic sobre su nombre.

En cuanto se haya establecido una comunicación con alguno de los servidores, le aparecerán los datos de la misma en la ventana inferior izquierda.

Figura 7.5. Servidores.

Para desconectar bastará con volver a pulsar de nuevo sobre el mismo icono con el que abrimos la conexión, que habrá sido sustituido por otro con el botón **Desconectar**.

Para iniciar una búsqueda deberemos marcar en la barra de herramientas el icono **Buscar**, lo que cambiará el aspecto de nuestra consola. En primer lugar nos aparecerá una barra de búsqueda donde deberemos introducir el nombre del archivo que andamos buscando.

Figura 7.6. Barra de búsqueda.

Bajo ésta, tenemos una ventana desplegable en donde podremos elegir el tipo de archivo de que se trata, es decir, imágenes, audio, vídeo, documentos, etc.

Figura 7.7. Selección del tipo de archivo.

Ahora deberemos hacer clic sobre la ventana **Comenzar** y eMule nos ofrecerá una lista de todos los archivos de esas características y cuyo nombre contenga las palabras que le hemos mandado buscar. Esta búsqueda se realiza entre todos los archivos que todos los usuarios que estén conectados en ese momento hayan puesto a disposición de la red. No hay, por tanto, transferencias "privadas": una vez que publicamos un archivo, cualquiera que lo encuentre puede descargarlo a su PC.

Si decidimos hacer una nueva búsqueda, el programa no nos borrará el listado de archivos encontrados, sino que abrirá una nueva pestaña con los archivos que coincidan con los nuevos parámetros de búsqueda.

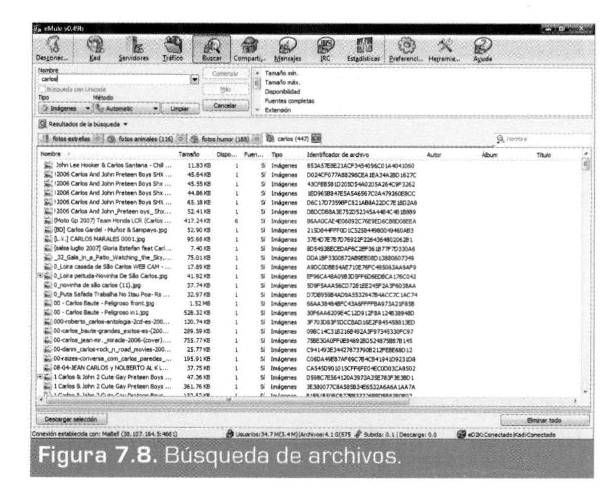

Figura 7.8. Búsqueda de archivos.

Para comenzar a descargar los archivos, deberemos hacer doble clic directamente sobre el archivo que nos interesa. Éste quedará marcado con color rojo. Es importante fijarse en la columna **Fuentes**, que indica cuántos usuarios tienen ese archivo en su PC.

Cuantos más usuarios tengan un determinado archivo, más rápida será la descarga. Suelen coincidir con los que aparecen en color azul.

Ahora elegiremos la opción **Tráfico** de la barra de herramientas, para poder ir viendo las características el progreso de descarga de cada uno de los archivos que hemos seleccionado, es decir, cuánto llevamos descargado, cuántos usuarios están compartiendo su archivo con nosotros, etc.

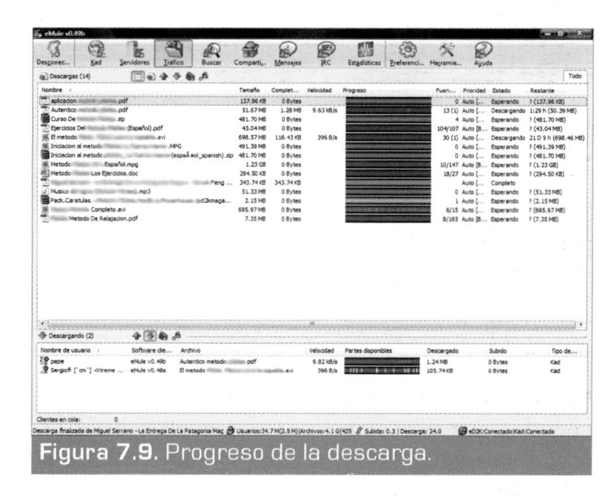

Figura 7.9. Progreso de la descarga.

Una vez que el archivo se haya descargado por completo, quedará alojado en una carpeta de eMule, pero de esto hablaremos un poco más adelante.

NOTA

> Recuerde que muchos de los archivos que usted puede encontrar a través de eMule poseen derechos de autor y usted debe tener las licencias pertinentes para su adquisición y/o uso. Todo lo que no sea "copia privada" está considerado como piratería informática.

El "mecanismo" de funcionamiento de eMule es muy sencillo. El programa busca y rastrea todos y cada uno de los ordenadores que tienen instalado el programa y muestra al resto de usuarios qué archivos estamos dispuestos a compartir con los demás y sólo estos. A no ser que usted tenga un "agujero" de seguridad en su ordenador, nadie podrá sacar de su ordenador ningún archivo que usted no desee. El hecho de compartir o no es muy importante en eMule, por lo que se trabaja con un sistema de "créditos", es decir, que el que más comparta, más facilidades tendrá a la hora de descargarse archivos.

Un par de recomendaciones. Antes de empezar a descargar, asegúrese de que usted tiene algo que ofrecer a los demás. Cópielo o arrástrelo a la carpeta **Incoming** que se encuentra dentro de las carpetas de eMule. Cuanto más "popular" sea este archivo, más gente se lo descargará y más créditos estará usted recibiendo. A estas carpetas accederemos a través del directorio donde hayamos decidido instalar el programa. Por defecto eMule se instala en C:\Archivos de programa\eMule y la carpeta que buscamos es Usuario\Descargas\eMule\Incoming.

Figura 7.10. Carpetas de eMule.

Las dos carpetas que realmente nos importan son **Temp** e **Incoming**. La primera de ellas, **Temp** es la carpeta en la que se irán descargando las distintas partes del archivo que nos estemos bajando en cada momento. Desde que lo seleccionamos después de su búsqueda, se crean unos archivos temporales con las distintas partes que lo conforman y que, téngalo en cuenta si anda ajustado de espacio en su disco duro, ocuparán lo mismo que si ya lo tuviera descargado totalmente y no la parte proporcional que haya descargado hasta el momento. Así que si decide cancelar una bajada, asegúrese de que se han borrado todos y cada uno de las partes temporales de este archivo.

Figura 7.11. Archivos temporales "bajándose".

En cuanto se hayan bajado todas las partes del archivo, el propio programa las unirá y las pasará a la carpeta **Incoming**, de forma que queden disponibles tanto para su uso como para descarga por los demás usuarios. Así que recuerde sacar de esta carpeta los archivos que, una vez descargados, no quiera compartir con nadie más, así como llevar hasta ella los que quiera compartir.

Un apunte más sobre los archivos temporales. Las partes que usted haya bajado también podrán ser "cogidas" por otros usuarios, por lo que es muy normal que mientras usted este bajando un archivo otro usuario se conecte a su ordenador para ir descargando la parte que usted ya posee.

Ventajas e inconvenientes de eMule

Antes de decidirse por eMule como sistema de intercambio de sus archivos, tenga en cuenta lo siguiente:

- La ventaja principal es que prácticamente todo lo que usted quiera buscar en la red se encuentra o puede encontrarlo a través de eMule.
- El principal inconvenientes es que nunca sabrá realmente lo que se está bajando hasta que lo haya descargado completamente en su ordenador. Archivos aparentemente inocuos pueden contener virus, imágenes pornográficas, etc. En la mayoría de los casos el proceso de compartir es completamente anónimo, así que asegúrese siempre de pasar los archivos descargados por su antivirus antes de abrirlos y de comprobar su contenido antes de mostrárselos a nadie.
- Si apaga el ordenador un par de horas, perderá su "turno" en la lista de espera de usuarios para descarga. Si intenta bajar un archivo con mucha demanda pero pocas fuentes, puede encontrarse con que no pase nunca del puesto 4000.
- La velocidad de descarga con este sistema no suele ser muy alta. Existe una limitación estructural porque las conexiones ADSL tienen por lo general una velocidad de subida muy baja y el ordenador del usuario que le proporciona el archivo lo hará lentamente. Pero además ocurre que hay muchos usuarios que sólo bajan y no comparten y, aunque el sistema de créditos los penaliza, la velocidad media de descarga de todo el mundo baja aún más. Los inicios en eMule, cuando aún tiene pocos créditos, pueden llegar a ser desesperantes.

- El motor de búsqueda de archivos tiene un problema que hace que el final de las descargas se demore en ocasiones muchísimo. Cuando le faltan muy pocas "partes" por bajar, intentará conectarle a aquellos usuarios que sólo tienen las partes que a usted le faltan, volviendo a tener que "pedir turno". Esto se hace para mejorar la velocidad media de descarga del conjunto de usuarios pero, como toda estadística, en su caso particular puede ser desastrosa. Puede darse el caso de que a tan sólo 1 mega para completar la bajada, el proceso se alargue más de un mes ya que sólo hay un usuario que tiene exactamente lo que a usted le falta y no se conecta nunca, o hay muchos antes que usted esperando a bajárselo.

Si después de leer las ventajas e inconvenientes que le ofrece eMule no termina de convencerle para intercambio de archivos, piense que no sólo de la mula vive el hombre y que la red está llena de muchas y buenas opciones con las que poder bajarse archivos de gran tamaño o con los que subirlos para poder compartirlos (RapidShare, Pando, BNR, etc.). Pando es una de la mejores opciones y en este momento puede que, para según que cosas, la mejor.

Pando

Pando es un programa pensado por y para el intercambio de archivos de gran tamaño. Aunque su versión gratuita limita dicho tamaño a 1Gb por archivo y un total de 5Gb por usuario.

Pando es, en realidad, un cliente FTP que permite que un usuario suba archivos a un servidor y otro se los baje. Sin embargo, el uso que hoy en día se le da a Pando está mucho más cerca de la "filosofía" de eMule que de la de los servidores FTP, gracias a determinados foros en los que los usuarios "comparten" sus archivos subiéndolos a Pando.

Figura 7.12. Consola de Pando.

Nosotros somos asiduos usuarios de Pando. Cada una de las fotos de este libro, los capítulos, las revisiones y la ayuda que me ha prestado Javier nos las hemos intercambiado con Pando. Eso nos ha ahorrado cientos de visitas, intercambio de CD´s, *pendrives*, etc.

Su funcionamiento es muy sencillo. El usuario indica el archivo a compartir y la dirección del correo electrónico del destinatario. Al pulsar **Enviar**, se sube el archivo a través del propio programa a un servidor donde queda alojado y, simultáneamente, se envía un email a la dirección de correo electrónico del destinatario. Este correo contiene un enlace que, tras hacer clic sobre él, permite bajarse ese archivo a través del programa Pando, que también debe estar instalado en el PC del destinatario. ¡Y todo esto gratis! Todo un hallazgo para nosotros en ese momento, pero estábamos a punto de hacer otro y es que en Internet se habían creado cientos de "comunidades" de usuarios de Pando que, a través de páginas web y foros, publicaban los enlaces y, así, intercambiaban todo tipo de archivos, sobre todos aquellos para los que se utiliza habitualmente eMule, es decir, las "copias de seguridad" de los últimos estrenos de la cartelera o del último disco de su artista favorito.

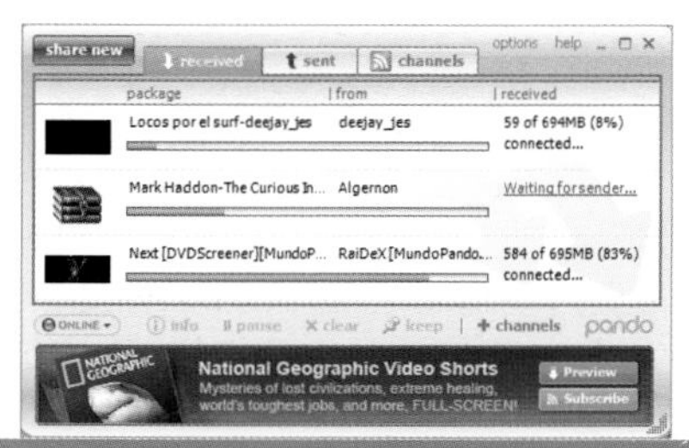

Figura 7.13. Bajando archivos con Pando.

Y lo cierto es que ya sus creadores en los inicios lo promocionaron como un programa P2P aunque, como hemos dicho, su funcionamiento no tiene nada que ver con estos, estando más emparentado con los de un servicio de *hosting*.

Su gran ventaja respecto a eMule es su enorme velocidad de bajada, ya que al tratarse de una conexión directa con el servidor, dependerá única y exclusivamente del ancho de banda que tengamos contratado. Su éxito está siendo tal que el pasado 1 de Octubre de 2007 anunciaron que, debido a la saturación de sus servidores, se veían obligados a cambiar ciertas condiciones de su servicio libre: borraron multitud de archivos alojados y redujeron el tiempo de permanencia de los archivos subidos gratuitamente a sus servidores.

Empezamos como siempre por descargarnos el programa necesario para poder subir nuestros archivos o bajar los que nos envíen. Como cualquier programa de estas características, podemos descargarlo directamente de su página web www.pando.com o, al tratarse de una aplicación gratuita, de cualquiera de las muchas páginas Web que lo ofrecen. Recordemos que la versión gratuita tiene limitada la subida de archivos a 1Gb (no así la bajada) y cada archivo que subamos se borrará tras un periodo de permanencia de 7 días en el servidor. Si en este tiempo algún usuario lo descarga y lo vuelve a compartir, el periodo de permanencia se prolonga a 30 días. Pasado este tiempo, el archivo será eliminado de los servidores de Pando y no podrá ser descargado.

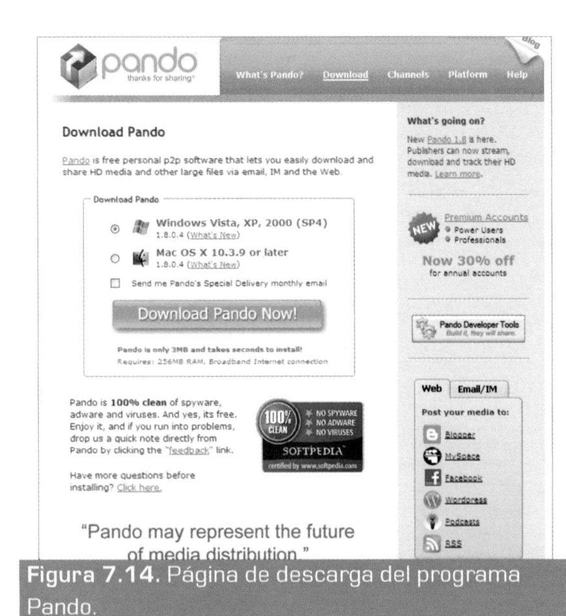

Figura 7.14. Página de descarga del programa Pando.

Una vez cargado el programa en nuestro ordenador, una pantalla nos pedirá que comencemos la instalación. Un asistente nos ira guiando a través de la misma (véase la figura 7.15).

Por último y antes de que podamos empezar a utilizarlo, nos pedirá que rellenemos un registro con el cual, entre otras cosas, indicaremos nuestra dirección de correo, que será la que figure como el remitente cuando enviemos un archivo a alguien. El correo que llega al destinatario lo envía automáticamente el servidor de Pando, con copia a nuestro correo (figura 7.16).

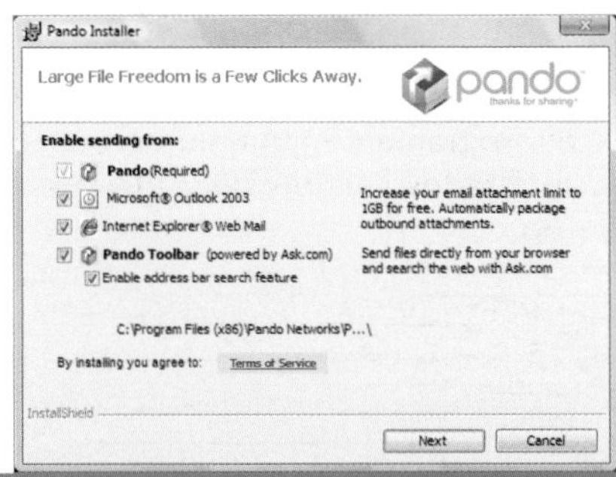

Figura 7.15. Instalando Pando en nuestro ordenador.

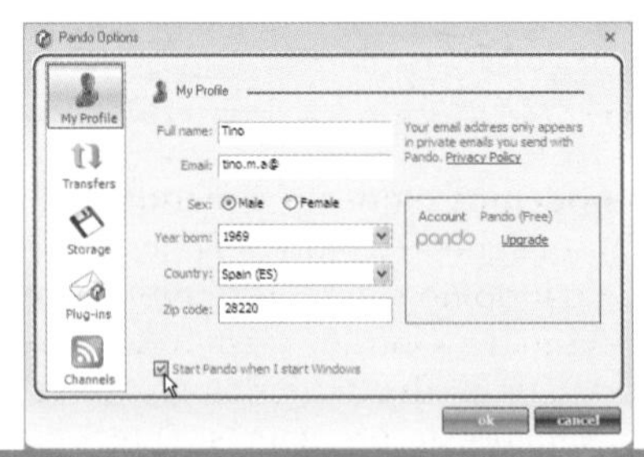

Figura 7.16. Formulario de registro Pando.

Seguidamente deberemos ajustar nuestras preferencias a la hora de enviar o recibir archivos como por ejemplo el límite de Kbit por segundo, es decir la velocidad de subida, lo que nos ayudará a que cuando estemos subiendo algo, la aplicación no consuma todos nuestros recursos y podamos realizar otro tipo de tareas en la red. También deberemos marcar, entre otras opciones, cuándo queremos que arranque el programa o si queremos que los archivos sean analizados con nuestro antivirus antes de poder abrirlos.

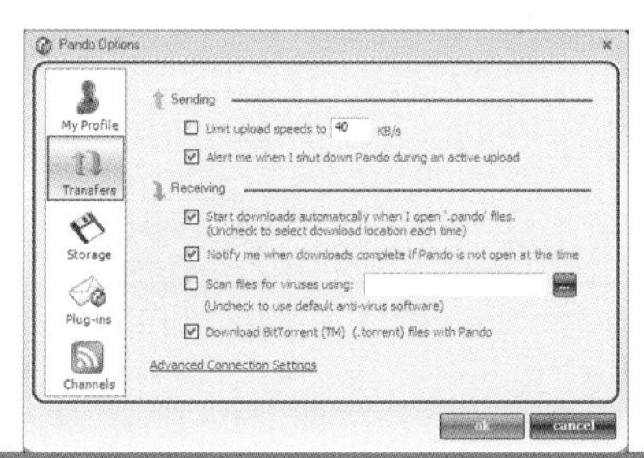

Figura 7.17. Ajustando el programa.

Ahora ya podemos empezar a mandar cualquier archivo o carpeta que tengamos en nuestro ordenador, siempre y cuando no supere el límite establecido de 1Gb. Si este fuera su caso, existen distintos programas con los que podrá dividirlos en varios archivos de menor tamaño sin problemas. El más popular es WinRAR, que es un compresor parecido al popular WinZip que, adicionalmente, permite dividir el archivo en varios. Alternativas gratuitas que, eso sí, no comprimen, son Hacha.exe y JSplit.exe.

Para enviar un vídeo como el que hemos seleccionado para ilustrar nuestro ejemplo podemos seguir dos caminos. El primero y más rápido es situarnos sobre el archivo y haciendo clic sobre él con el botón derecho, desplegar una ventana en donde entre otras muchas opciones nos aparecerá la de **Send With Pando**, es decir, enviar con Pando.

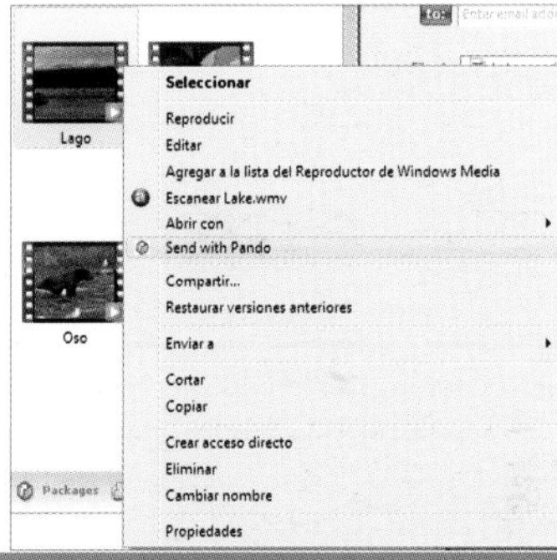

Figura 7.18. Seleccionando el archivo a enviar.

Hacemos clic y se nos abrirá una ventana del programa con el archivo que vamos a enviar ya incluido, en la que se nos pedirá que introduzcamos la dirección del destinatario, le demos un nombre o título al "Asunto" del mensaje (*Subject*) y que escribamos si así lo deseamos un mensaje para que sea leído por el destinatario (véase la figura 7.19). Una vez completado todo, hacemos clic en **send** y el archivo comenzará a subir a los servidores de Pando.

Figura 7.19. Datos del mensaje.

El programa sigue funcionando aunque cerremos la ventana, como atestigua el icono que permanece en la esquina inferior derecha de la pantalla de Windows. Para comprobar como va nuestra subida, podemos abrir Pando haciendo doble clic sobre dicho icono. Si nos fijamos, el icono tiene una flecha en movimiento que nos indica que se están subiendo archivos.

En la pantalla principal de la aplicación podemos observar en qué estado se encuentra nuestra subida, qué tanto por ciento hemos subido y a qué velocidad (véase la figura 7.20).

Pero como hemos dicho tenemos otra forma de enviar nuestros archivos. Abrimos el programa y seleccionamos la pestaña **sent**. Seguidamente haremos clic sobre el botón **share new**, tal como se ilustra en la figura 7.21.

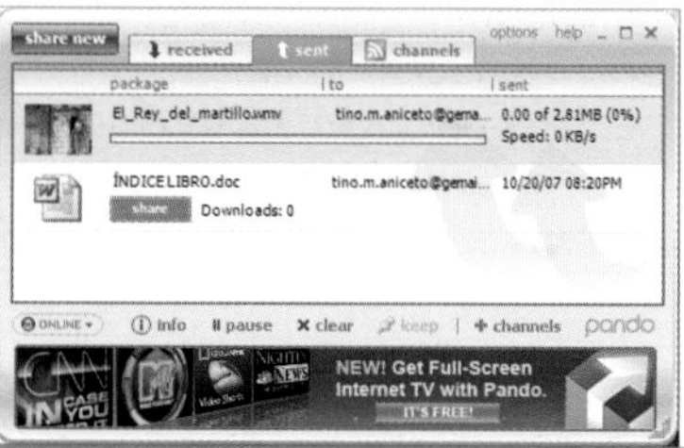

Figura 7.20. Progreso de nuestras subidas.

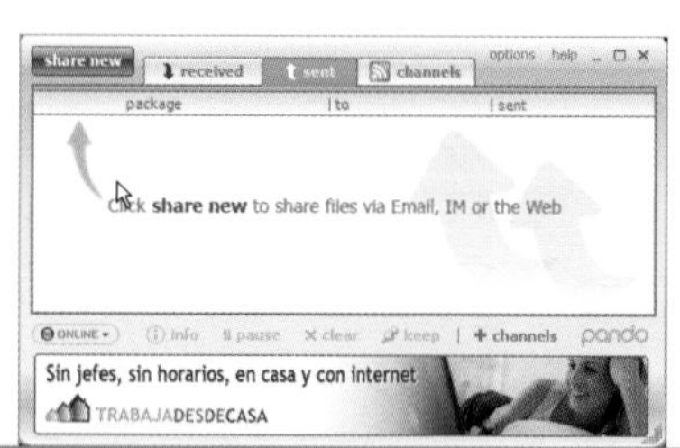

Figura 7.21. Pestaña de envíos o subidas de Pando.

Al hacerlo se nos abrirá una ventana con tres opciones: **Email**, **IM** o **Web**. Seleccionamos **Email** y se nos abre de nuevo la pantalla de envíos que vimos anteriormente, pero esta vez sin contener archivo alguno seleccionado. Para seleccionarlo deberemos hacer clic sobre el icono que se encuentra en el marco lateral de la ventana, representado por dos flechas, lo que nos despegará una nueva pantalla que contiene en su interior las carpetas y archivos de **Mis Documentos.** Buscaremos el archivo y lo seleccionaremos haciendo clic sobre él. En ese momento nos aparecerá ya seleccionado en su respectiva ventana y, a partir de ahí, procedemos como en el caso anterior.

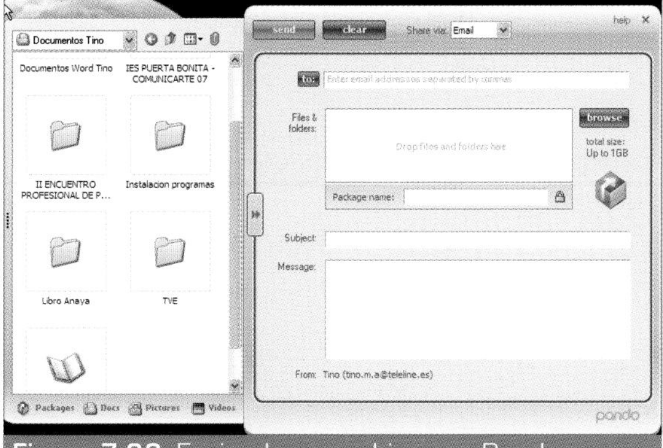

Figura 7.22. Enviando un archivo con Pando.

Si por algún motivo se interrumpiese el proceso de envío, esto no implicaría la pérdida de la parte del archivo que ya haya subido ni que tuviéramos que volver a subirlo desde el principio, sino que al arrancar nuevamente Pando, la subida se reanudaría desde el mismo punto donde se cortó.

Ahora veamos cuáles son los pasos que debemos seguir para descargar archivos con la aplicación Pando, ya sean los que nos han mandado nuestros amigos o los que encontremos en alguna de la páginas Web que ofrecen enlaces a archivos a través de este programa.

Empezaremos por revisar nuestro correo electrónico. Cuando alguien nos quiere mandar un archivo de imagen o un vídeo a través de la utilidad Pando, recibimos un mensaje de correo electrónico de esa persona con un enlace (*link*) y una imagen de dicho documento, además del texto con lo que nos haya querido contar.

Figura 7.23. Mensaje recibido desde el servidor de Pando.

Nosotros simplemente tendremos que pinchar sobre la imagen o sobre el enlace del titulo del documento y de inmediato se abrirá nuestro programa Pando (recuerde que debemos tenerlo previamente instalado en nuestro ordenador) y comenzará la descarga.

La velocidad de descarga es realmente rápida. Estas descargas podemos detenerlas cuando queramos y volverlas a reanudar con el botón **Pause** o eliminarlas definitivamente con el botón **Clear**.

Figura 7.24. Descarga de archivos con Pando.

Recuerde que este documento, tras su descarga, estará disponible durante 7 días en el servidor. Pasado este periodo de tiempo se procederá a eliminarlo. Si deseamos ampliar el tiempo de alojamiento, deberemos, una vez terminada la descarga hacer clic sobre el icono **Share**, lo que le añade otros nuevos 30 días de "vida" a contar desde que lo descargamos.

Esto es todo en lo que a envíos y descargas se refiere. Pero Internet nos ofrece todavía una forma más con la que compartir nuestras imágenes, que es simplemente publicarlas en una página web. Es lo que hacen las empresas. Preparar una estupenda página Web conlleva, no sólo el saber hacerlas, sino contratar un dominio, un servidor donde alojarla y un cierto mantenimiento si queremos ir subiendo fotografías e imágenes. Pero todo esto no será necesario si podemos hacernos con un Blog, como se explica en el capítulo siguiente.

CAPÍTULO
8
BLOG

Otro fenómeno de la sociedad de la comunicación de esto siglo XXI es sin lugar a dudas el de los Blogs (*Weblog*, donde *Log* en inglés significa "diario") o en español "bitácoras", haciendo referencia a los cuadernos o diarios de bitácora de los barcos. Este último nombre se suele asociar más con los blog de autores que escriben sobre su propia vida a modo de diario. Así pues, un blog no es más que un sitio web donde de forma periódica su autor va añadiéndole texto en forma de artículos, que van ordenándose de forma cronológica. Cada uno de estos artículos es lo que se denomina una "entrada". El autor puede borrar o modificar en cualquier momento cualquiera de estos artículos, así como añadirles fotografías y vídeos e incluso recibir las opiniones de aquellos que los lean, tal como se puede observar en la figura 8.1 de la siguiente columna.

Con este espíritu nacieron los que podríamos llamar primeros blogs, que no eran otra cosa que páginas web a las que el autor se tomaba la molestia de ir haciendo los ajustes y cambios pertinentes de forma periódica, para que aparecieran publicados sus comentarios. El relativo éxito de esta nueva forma de comunicación animó a terceros a crear espacios y herramientas que hiciera posible, incluso a gente sin conocimiento alguno de informática, para poder publicar sus opiniones de forma periódica, ya que en vez de tener que teclear interminables secuencias de código HTML ni instalar programa alguno, basta con ir rellenando distintos formularios.

Figura 8.1. Aspecto del blog "La venganza es mía S.A".

El principal artífice de este éxito fue y es Blogger, creado en 1999 por la empresa Pyra Labs y posteriormente adquirido por Google en 2003. Esta compra originó que servicios que hasta entonces eran de pago fueran a partir de ese momento gratuitos.

El siguiente paso de Google, como ya hemos visto, fue comprar Picasa y con él su sistema de intercambio de fotografías llamado HELLO, permitiendo a los usuarios de Blogger poner imágenes en sus blogs. Pocos meses después, en mayo de 2004, Google relanza Blogger añadiéndole plantillas basadas en CSS (*Cascading Style Sheets* o, lo que es lo mismo, hojas de estilo en cascada) o dando la posibilidad de publicar comentarios y artículos vía e-mail.

A finales de 2006 lanzan Blogger Beta donde se pueden publicar *post* por categorías o etiquetas, así como la posibilidad de dotarlos de acceso restringido o privado, algo que a lo largo de este libro hemos señalado como fundamental a la hora de decidir cómo compartir nuestras imágenes con terceros.

Hace escasamente unos meses se ha producido el último cambio y es que, aquellos que tengan los conocimientos adecuados, pueden cambiar las plantillas modificando su código HTML. El cambio ha supuesto tener que migrar todas las cuentas e información anteriores a una nueva cuenta de Google.

En estos momentos, los blogs ya no son sólo meros diarios, sino que se han convertido en una potente herramienta de comunicación y alguno de ellos con una importantísima influencia sobre determinados campos. Muchas voces de reconocido prestigio los utilizan para dar su opinión a diario, llegando incluso a igualarse los derechos del creador de un Blog de éxito con los de un periódico, como ha ocurrido recientemente en EE.UU, donde han asignado a uno de estos *bloggers* una acreditación de prensa en la Casa Blanca.

Dado que Blogger no sólo ha sido uno de los artífices de este nuevo fenómeno, sino que además es uno de los más fáciles de usar, vamos a adentrarnos en su utilización y, lo que es más importante, vamos a aprender cómo utilizarlo como vehículo para compartir nuestras fotografías y vídeos.

Figura 8.2. Barra inferior de Picasa.

En primer lugar necesitaremos, como siempre, darnos de alta como usuarios. Podremos acceder a su página principal ya sea a través de Picasa, pulsando en su enlace, a través de Google (véase la figura 8.3) o bien tecleando su dirección en la barra de direcciones del navegador https://www.blogger.com.

Alta de un blog

Si no tenemos una cuenta abierta, nos pedirá que nos inscribamos siguiendo los mismos pasos que ya hemos visto en este mismo libro para otras aplicaciones.

Figura 8.3. Aplicaciones y herramientas de Google.

Si ya estuviéramos dados de alta en algún servicio de Google y por lo tanto contáramos con un nombre de usuario, bastaría con teclear usuario y contraseña para empezar a editar nuestro blog. En el primer acceso, nos pedirá que registremos ese nombre en Blogger. Desde ese momento, cada vez que accedamos a Blogger y tras introducir nuestro nombre de usuario y contraseña, nos redirigirá a nuestro blog (véase la figura 8.4).

Una vez registrados en el servicio y tras hacer clic en **Siguiente**, el próximo paso será asignarle un nombre a nuestro blog y una dirección, también llamada URL. La URL no tiene por qué ser la misma con la que hemos "bautizado" a nuestro blog, pero si es la misma ayudará a que quienes quieran visitarla la recuerden fácilmente, así como facilitar su búsqueda. Puede ser que la dirección que deseemos no este disponible, en cuyo caso no nos quedará más remedio que buscar otra. Para comprobar la disponibilidad de las direcciones contamos con la opción Comprobar disponibilidad. Completados estos dos campos haremos clic sobre **CONTINUAR** (figura 8.5).

Figura 8.4. Página principal de Blogger.

El siguiente paso será el de elegir una plantilla. Como hemos dicho, uno de los motivos que han contribuido al gran éxito de los blogs son las plantillas, gracias a las cuales no necesitamos tener conocimiento alguno de programación, bastándonos el ir completando las distintas opciones que nos ofrece cada una de ellas.

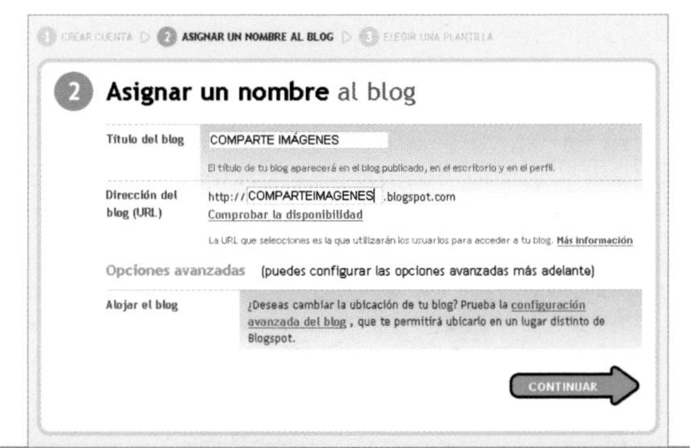

Figura 8.5. Asignando un nombre a nuestro Blog.

Además de la que nos ofrece Blogger podemos encontrar en la Red cientos de ellas creadas por distintos usuarios, o incluso podemos personalizar aquellas plantillas que lo permitan. En cualquier momento podremos cambiar el diseño de nuestra plantilla por otro, así que no se preocupe por si no le termina de convencer la que ha elegido. Una vez elegida la plantilla, hacemos clic sobre **CONTINUAR** (figura 8.6).

Y ¡sorpresa! Ya tenemos creado nuestro propio blog (véase la figura 8.7).

Sentimos contrariarle, pero la afirmación anterior no es del todo cierta. Tiene un blog vacío. Un blog tiene una única razón de ser, la de servir de escaparate de todas aquellas cosas que usted quiera mostrar al mundo.

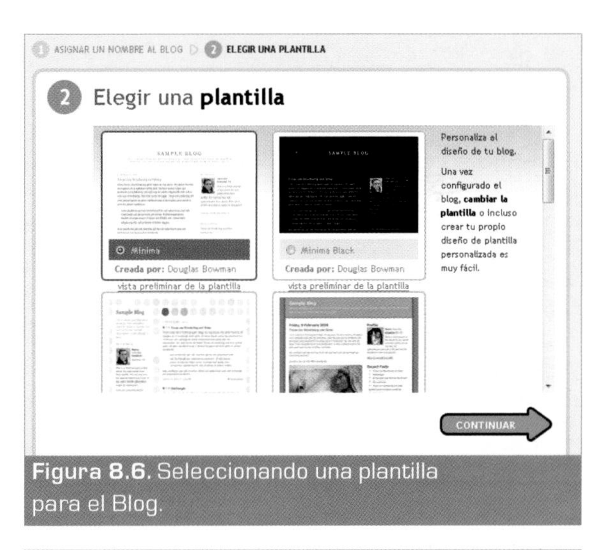

Figura 8.6. Seleccionando una plantilla para el Blog.

Figura 8.7. Ya tenemos creado nuestro propio Blog.

Si no sube nada a él, simplemente no existe el blog. Piense por un momento en un periódico con una bonita cabecera e increíble diseño, pero en donde página tras página aparece todo en blanco. En ese punto nos encontramos.

Hay que empezar a publicar y, como este libro va de compartir nuestras imágenes, nuestro blog tratará precisamente de eso: vamos a crear un escaparate completamente personalizado en el que "colocar" nuestras fotografías y vídeos, que nos permita, además, el lujo de comentarlas extensamente o de utilizarlas como complemento a nuestras "divagaciones filosóficas" (hasta donde nos llegue). Podremos recibir los comentarios de todo aquel que se acerque hasta nuestra página, comentarios que podrán ver todos los usuarios y que podremos moderar decidiendo quién podrá hacer comentarios o borrando aquellos que no deseemos que aparezcan en la pantalla.

Empecemos por el principio, creando nuestro blog paso a paso. Recuerde que todos los pasos que vamos a ver a continuación podemos modificarlos siempre que lo deseemos.

Personalizando nuestro blog

En primer lugar personalizaremos el diseño de nuestro blog. Aunque ya elegimos un tipo de plantilla, a la hora de completar la creación de nuestra cuenta y/o blog, podemos cambiarla, tanto la posición de sus elementos como los colores o el tipo de letra. Pero lo que deberemos hacer de forma obligatoria será la de elegir los elementos que compondrán nuestra página.

Estos elementos son la barra con el titulo del blog, en donde podremos insertan imágenes y texto, el pie de página o los distintos elementos que queremos que aparezcan acompañando a cada entrada: encuestas, imágenes, perfil, índice del blog y un largo etcétera.

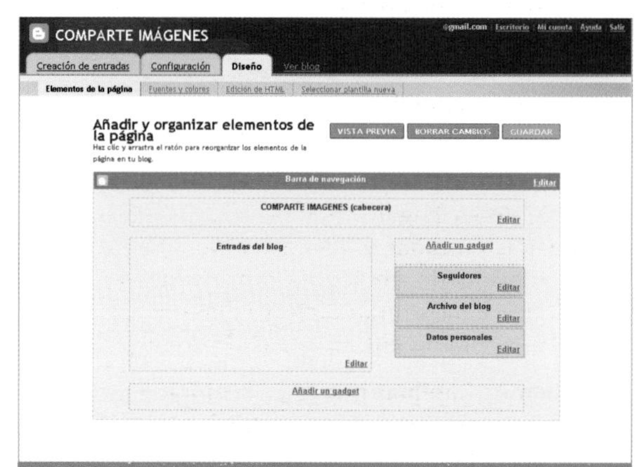

Figura 8.8. Añadiendo y organizando los elementos del blog.

Dentro del menú de **Diseño** podremos abrir distintas pestañas como **Fuentes y colores** y **Edición de HTML**, esta última opción dedicada a los que posean conocimientos sobre este lenguaje y puedan "programar" su página directamente en dicho código.

El siguiente paso será el de configurarlo hasta su más pequeño detalle, es decir, título, descripción, vínculos, etc. Aparte del puro y duro formato, hay otras opciones sobre las que conviene que nos pronunciemos:

- Podemos asignar a nuestro blog un dominio personalizado, donde tras el nombre de nuestro blog no aparezca el "apellido" .blogspot.com, sino simplemente un .es, .com, etc. En este caso deberemos pagar una cuota anual por obtener un dominio disponible. La reserva del dominio puede hacerse directamente desde Blogger.
- Otra decisión importante será si deseamos que los lectores hagan comentarios a cada una de nuestras entradas y, en caso afirmativo, quiénes podrán hacerlo y quiénes no, así como el formato en que se mostrarán dichos comentarios y de la fecha y hora de entrada de cada uno de ellos.
- Podemos habilitar páginas de entrada o, lo que es lo mismo, decidir con qué frecuencia (cada entrada, diario, semanal, mensual) queremos que se agrupen nuestros artículos. Cada una de estas páginas tendrá una dirección web diferente (véase la figura 8.9).

Y para no entrar en detalle sobre cada uno de ellos, finalmente destacaremos el vínculo **Permisos** en donde podremos configurar quién o quiénes podrán ver nuestro blog: todo el mundo, sólo quienes elijamos o únicamente su autor o autores. Podremos también decidir que personas podrán considerarse como autores, lo que conlleva el privilegio de, no sólo poder verlo en todos los casos, sino el de poder crear entradas del mismo (figura 8.10).

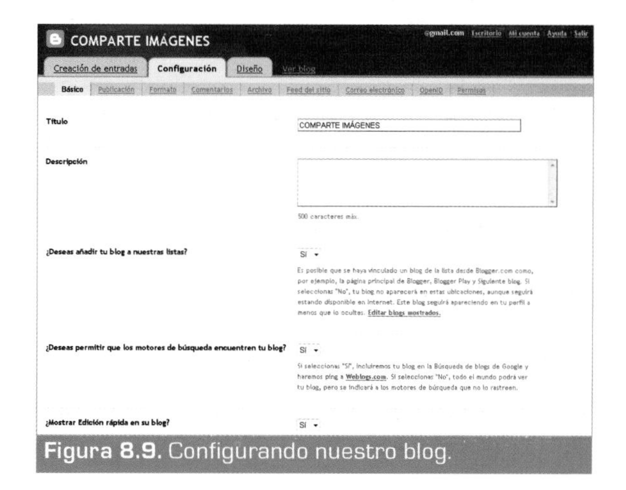

Figura 8.9. Configurando nuestro blog.

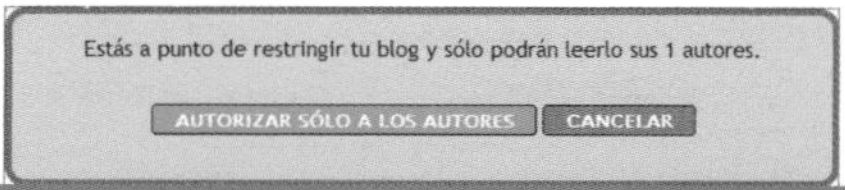

Estás a punto de restringir tu blog y sólo podrán leerlo sus 1 autores.

AUTORIZAR SÓLO A LOS AUTORES | CANCELAR

Figura 8.10. Autorizando acceso a los autores.

Escribiendo entradas al blog

Llegamos así a lo que realmente es el "alma" del blog: las entradas, artículos o *posts*. Para empezar deberemos hacer clic sobre la pestaña **Creación de entra-**

das, lo que nos permitirá elegir entre tres opciones: **Crear**, **Editar entradas** y **Moderar comentarios** (en el caso de que hubiéramos decidido que los hubiese)

Crear no es otra cosa que, como su nombre indica, añadir una entrada nueva a nuestro blog. Blogger pone a nuestra disposición un pequeño editor de texto en el que podemos elegir el tipo de letra, el color, la sangría de los párrafos, crear vínculos o añadir fotografías y/o vídeos. Aunque en el momento de escribir este libro la ayuda dice lo contrario, sí que es posible subir un vídeo directamente de nuestro PC al blog, pero esto lo veremos un poco más adelante.

Para escribir el texto de su entrada no tendrá más que hacer exactamente eso, escribirlo en la ventana que se nos muestra (figura 8.11).

Observará que los iconos utilizados son prácticamente los mismos que los que usa Word. Así pues, si quiere hacer una corrección ortográfica no tendrá más que pulsar sobre su icono y de inmediato le aparecerán marcadas las palabras escritas erróneamente. Sitúe el ratón sobre la palabra marcada y haga clic de con el botón izquierdo del ratón, lo que despliega una lista con varias sugerencias para corregirla.

Y con esto ya tendremos escrita nuestra entrada, artículo, pensamiento, diario o como quiera llamarlo. Antes de subirlo a nuestro blog, añadámosle una imagen que de forma complementaria termine por dar sentido a lo que queremos transmitir, simplemente por eso de que una imagen vale más que mil palabras o porque nos apetece.

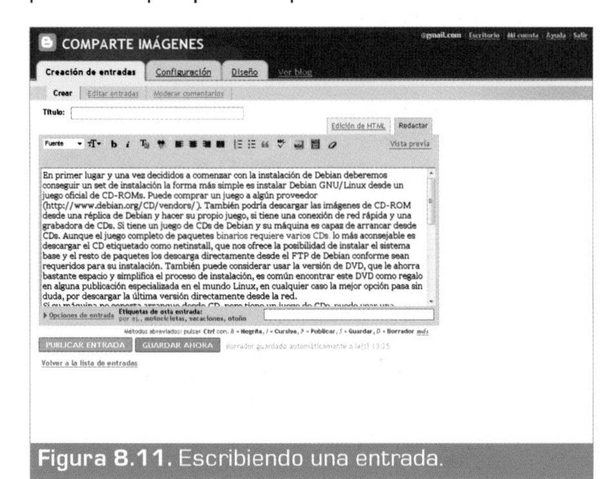

Figura 8.11. Escribiendo una entrada.

La foto es opcional si estamos hablando de un artículo, pensamiento, etc., porque si de lo que hablamos es de crear un álbum fotográfico donde comentamos cada imagen o un fotodiario donde cada imagen corresponde a uno de nuestros pensamientos o sucedidos, la foto será obligatoria. Como verá, las posibilidades y combinaciones, así como las "etiquetas", son infinitas pero, sobre todo, no desaproveche las posibilidades que ya tiene o las que irán surgiendo y con las que expresarse sintiéndose más a gusto.

¿Qué le parece si empezamos a mostrarnos y expresarnos a través de la fotografía? Las suyas o las de otros. Aquí suele haber una norma no escrita y es que toda fotografía puede añadirse a su blog, amparada por el derecho de cita, que sólo le impone la obligación de mencionar la fuente. Las fotografías, incluso las publicadas en Internet, al igual que cualquier otra obra, suelen estar sujetas a derechos de autor. Pero al ser el blog un medio personal sin ánimo de lucro, no se suele perseguir su utilización. Otro tema muy distinto es que usted use su blog como página web de su negocio (no sería el primero que lo hace) ya que gracias a lo fácil que resulta su creación y modificación son cada día más empresas las que optan por esta sencilla forma de anunciarse. Recuerde que en este caso sí que debe pagar por la utilización de esas fotos tan estupendas de un lápiz escribiendo sobre un papel, que pertenecen a empresas que se dedican precisamente a vender fotografías y no le permitirán que las use. Siempre podrá recurrir a páginas de artistas que ofrecen sus imágenes de forma gratuita para su difusión y cuya única condición es que figure el copyright de ésta a pie de foto, algo que pudimos ver en el capítulo dedicado a Flickr. Sea como sea, esto último debería ser el "modus operandi" de todos nosotros a la hora de utilizar imágenes de terceros, al menos a modo de agradecimiento (figura 8.12).

Y después de esta larga y extensísima disertación sobre el pan de nuestros hijos que son los derechos de autor, añadamos esa imagen que resume de un plumazo nuestro pensamiento del día o la excursión a la montaña.

Figura 8.12. Foto que puede incluir en su blog siempre que nos cite.

En el mismo panel donde hemos creado la entrada encontrará dos iconos, uno es el de una fotografía y el otro el de un fotograma de película que simboliza vídeo. Hacemos clic sobre el icono de la fotografía.

Figura 8.13. Añadiendo una fotografía.

Se nos abrirá una nueva ventana en donde podremos buscar la imagen alojada en nuestro ordenador, mediante el botón **Examinar...** o bien podremos utilizar cualquier imagen alojada en una página web de la que conozcamos su dirección URL completa. Podemos ir añadiendo a la entrada cuantas fotos queramos, para lo cual bastará con que hagamos clic sobre **Añadir otra imagen**. Una vez seleccionada la imagen podemos elegir el diseño, que no es otra cosa que decidir cómo aparecerá en la entrada respecto al texto. Elija lo que elija, una vez añadida la foto al texto y desde la propia consola, podrá situarla donde quiera, bastará con que pinche sobre la imagen y la arrastre hasta el lugar elegido. Seleccione un tamaño para la imagen y finalmente haga clic sobre **SUBIR IMAGEN**.

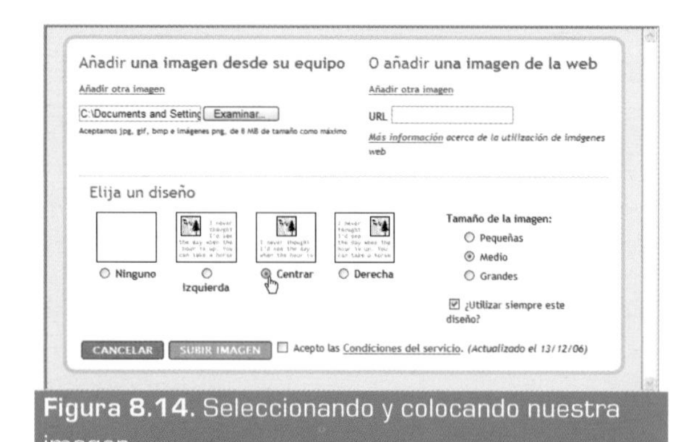

Figura 8.14. Seleccionando y colocando nuestra imagen.

Para añadir un vídeo a una entrada de nuestro blog, igual que en el caso de las fotografías, bastará con hacer clic sobre su correspondiente icono y seleccionar **Examinar...** para localizar la ubicación de su vídeo en el ordenador.

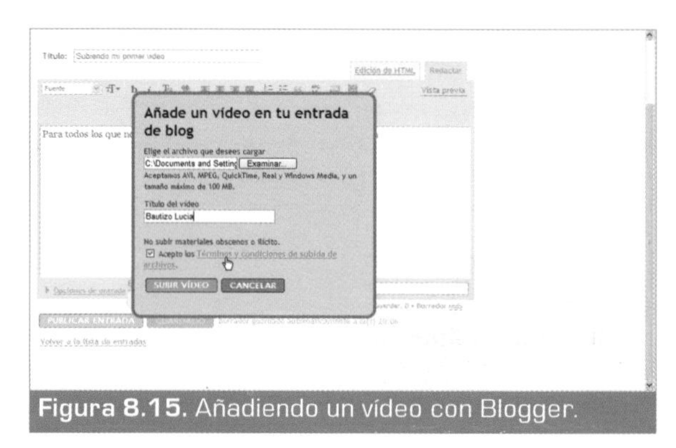

Figura 8.15. Añadiendo un vídeo con Blogger.

Una vez aceptadas las condiciones de uso el vídeo comenzará a subir. Sepa que tiene una limitación de 100 MB, por lo que deberá editar el vídeo cambiando su resolución si quiere subir vídeos de larga duración e incluso aunque su vídeo esté dentro de dicho limite, tenga en cuenta que necesitará mucho tiempo para subirlo, dependiendo del ancho de bando de su conexión a Internet y del "tráfico" que haya en ese momento, por lo que las posibilidades de que se produzca un error o un corte en de la señal aumentarán de forma exponencial (figura 8.16).

Una vez terminada la subida le aparecerá una imagen del vídeo con un visor de vídeo como marco.

Bastará con que haga clic en **Publicar entrada** para que su vídeo quede publicado en el blog.

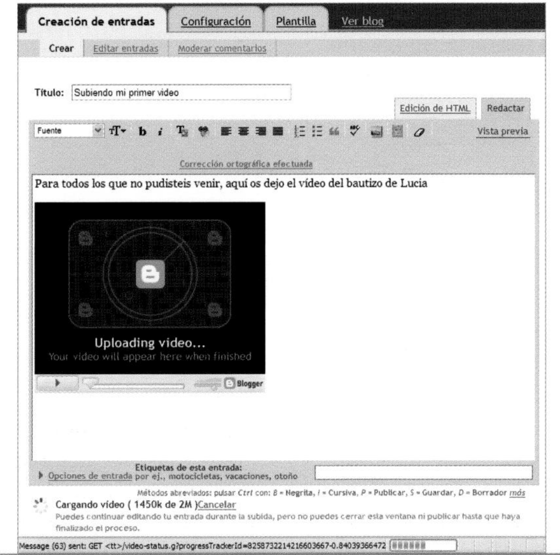

Figura 8.16. Subiendo nuestro vídeo a Blogger.

Podemos configurar de qué forma aparecerá incrustado dentro de la ventana de nuestra entrada, tal como se ilustra en la figura 8.17.

El otro método, que se venía usando hasta hace poco, es bien sencillo. Aprovechando que el capítulo dedicado a YouTube y Google Video nos hemos abierto una cuenta que nos permitía subir nuestras creaciones, seleccionar nuestros vídeos favoritos de los demás usuarios y, sobre todo, obtener los códigos para pegar los vídeos de YouTube en nuestro Blog.

Figura 8.17. "Colgado" de nuestro primer vídeo.

Como ya se indicó en el capítulo de YouTube, para obtener el código con el enlace a un determinado vídeo, basta con que lo seleccionemos un doble clic sobre él y que copiemos a nuestro blog el código que aparece junto al botón **Añadir**, tal como se ilustra en la figura 8.18.

Figura 8.18. Obteniendo el código para añadir un vídeo a nuestro blog.

Para pegar el vídeo en nuestro blog debemos tener seleccionada la opción **Entrada en HTML**, como se muestra en el ejemplo de la figura 8.19.

Si hacemos clic sobre **Vista previa** podremos obtener una imagen de cómo quedará nuestra entrada una vez publicada.

Una vez conformes con su aspecto (y contenido), seleccionamos **Publicar entrada** y el vídeo quedará "colgado" en nuestro blog como complemento de una entrada.

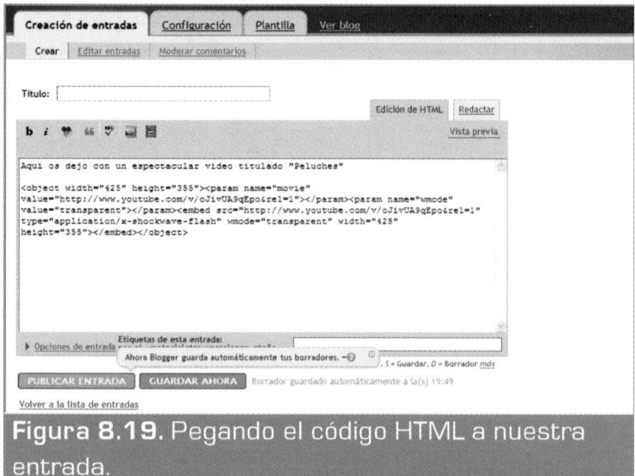

Figura 8.19. Pegando el código HTML a nuestra entrada.

Y creemos que con esto ya tiene acabado o, mejor dicho, empezado, su blog. Paulatinamente, podrá ir añadiéndole "gadgets" que seguro irán apareciendo y ya verá como entrada tras entrada va haciéndolo crecer y cada día se siente más y más orgulloso de él. Bueno, casi, lástima de la entrada que incluyó días atras...

Nada de eso. Corríjala, cámbiela o elimínela, ¿qué se lo impide? No tendrá más que dirigirse a la opción **Creación de entradas>editar entradas** y, sobre la entrada elegida, hacer clic sobre la opción **Editar**. Ya podrá modificar esa parte que no le dejó satisfecho o, simplemente, aplicar aquello de "donde dije digo, digo Diego"

Fotolog

Si creía que ya estaba todo dicho en lo que se refiere a compartir nuestras imágenes, estaba, al igual que nosotros, muy equivocado. Y es que hay ciertas cosas, sobre todo en Internet, en que la edad juega un importantísimo papel y mucho nos tememos que nos vamos haciendo viejos. Una vez más mis vecinas adolescentes iban varios pasos por delante.

Ya con el libro finalizado y entregado a nuestro editor, me encuentro una mañana con un correo en el que se me invitaba a ver una foto de mi vecina Ruth. Ese mismo día, abro mi periódico digital y leo un artículo sobre la afición a este programa de la hija de la mismísima presidenta de Argentina. Ambos llevaban a la misma página y para mi vergüenza descubro que, por lo visto, esta página tiene registrados así como unos 10 millones de usuarios en más de 200 países. Mi consuelo es que, por lo que llevo visto y por lo que dicen los estudiosos, más de la mitad no podrán votar en las próximas elecciones aunque quizás sí en las siguientes.

Este fenómeno social se llama Fotolog y si lo hemos puesto fuera de los álbumes y de los blogs, es porque ni son álbumes, ni son blogs, más bien podríamos enmarcarlas en eso que se ha dado a llamar *Social networking sites* o lo que es lo mismo, "webs de redes sociales" como son Neurona, MySpace o esa de la que todo el mundo parece hablar hoy en día, Second Life, que parece haber animado el parqué económico con la compra por parte de Microsoft de parte de Facebook.

Figura 9.1. Página principal de Fotolog.

¿Qué es Fotolog?

Para empezar, Fotolog es el líder mundial de fotoblogs, aunque como veremos más adelante no es exactamente un fotoblog. Además, es uno de los sitios web de redes sociales más grande del mundo con algo más de 10 millones de usuarios.

Como red social que es, Fotolog no sólo nos ofrece la posibilidad de subir nuestras fotografías, sino que a través de ellas se conecten, comuniquen e interconecten sus usuarios, tejiendo una maraña o "red" de amigos en donde el punto de partida es una imagen.

Fotolog nos "obliga" a ir explorando todo su universo partiendo de un amigo que a su vez tiene otros amigos y estos otros y aquellos otros más, permitiéndonos abrir y mantener un contacto con todos ellos y, al tiempo que vamos descubriendo nuevas fotos, podremos entrar en contacto con otras culturas o con grupos de personas unidos por un interés o proyecto común.

Fotolog.com es una sitio web que le permite de manera fácil poner sus fotos digitales en una página web con un orden cronológico y un formato de diario. Si sus familiares o amigos tienen un Fotolog, puede ver sus últimas fotos, navegar por las antiguas y también hacer comentarios sobre cada una de ellas en sus libros de visitas

Los blogs son generalmente más texto y pocas imágenes. Fotolog pretende ser más Imágenes y algunas palabras, pero Fotolog no es un álbum de fotos en línea donde puede almacenar todas sus fotografías. Fotolog es más un lugar para subir diferentes fotos de tus hijos cada día o cada semana para que tus amigos y familiares puedan ver como crecen.

No debe poner todas sus fotografías en Fotolog. Se pretende que use Fotolog para compartir sólo sus últimas y mejores fotos y no necesariamente fotos artísticas (a diferencia de Flickr, en donde se "premia" la calidad de la imagen). Puede ser cualquier foto pero, eso sí, si cada día se esfuerza por subir una nueva foto mejor que la anterior, seguro que poco a poco se convertirá en un mejor fotógrafo.

Un poco de historia

Fotolog fue creado en mayo de 2002 por Scott Heiferman y Adam Seifer como un pequeño proyecto comunitario de 200 amigos. Hoy Fotolog genera más de 3.500 millones de accesos y recibe más de 15 millones de visitantes únicos mensualmente. Fotolog está clasificado entre los primeros 25 sitios web del mundo. La sede de la compañía se encuentra en la ciudad de Nueva York.

Subir fotos a Fotolog

El primer paso, como siempre, es registrarse como usuario en la aplicación. Usuaria es, según contaba la noticia del periódico que citábamos al comienzo, la argentina Florencia o Flor, como la llaman sus amigos, la hija de 17 años de los Kirchner.

Flor parece ser una apasionada de Fotolog y en él difunde todo lo que ocurre de puertas adentro de la

Quinta de Olivos, la residencia de los presidentes argentinos. Aunque sus padres han intentando ponerle fin en varias ocasiones, ella sigue relatando casi a diario si saca malas notas en el colegio, o detalla sus salidas nocturnas sin importarle que su familia estuvieran en campaña y, por supuesto, todo esto bien ilustrado con fotos propias de su edad. En plena campaña su madre fue duramente criticada por sus continuos viajes al extranjero, mientras Flor ilustraba sus correrías por España desde su Fotolog.

Vamos a registrarnos como usuarios y quién sabe si terminaremos haciendo "migas" con Flor. Para ello pulsamos en la página principal sobre **Crea tu página Fotolog gratis**.

Aunque no lo crea, tanto esta página como las siguientes están en castellano y no, no se encuentra ante una de esas páginas de *phishing* a las que pillamos antes que nuestro antivirus por las patadas que le arrean al diccionario.

El formulario es casi idéntico, por no decir idéntico a todos y cada uno de los que hemos ido rellenando a lo largo de todo el libro, por lo que no nos entretendremos aquí (véase la figura 9.2).

Cuando haya finalizado recuerde marcar la casilla en la que afirma haber leído y aceptado todas las condiciones de uso. Ya sabe que si hay alguna que no acepta no podrá utilizar el servicio, así que márquela de todos modos y aplique eso de que es mejor pedir perdón que permiso y haga clic sobre **Crea mi cuenta Fotolog**.

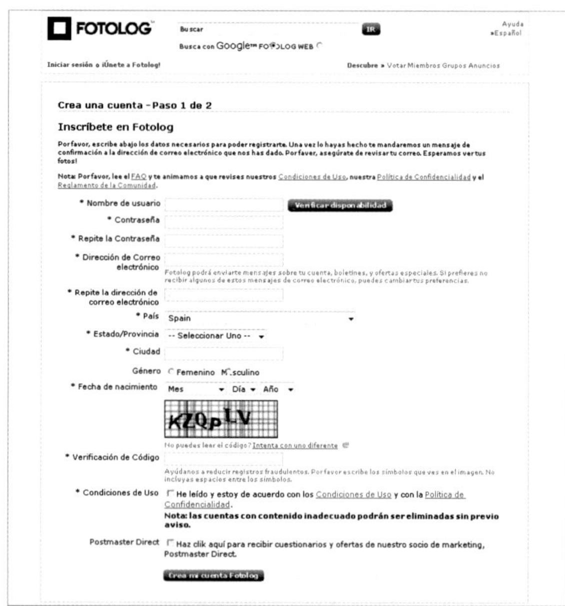

Figura 9.2. Formulario de registro (en español).

Para completar su registro le pedirá una cuenta de correo que tiene que ser la suya, ya que tendrá que ir a ella más tarde y hacer clic sobre el enlace que le envíen para activar su cuenta y la página personal de Fotolog

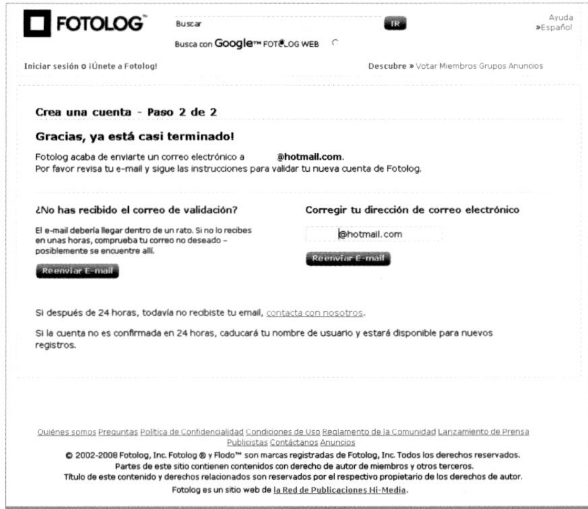

Figura 9.3. Confirmación de la cuenta de correo para activar la cuenta Fotolog.

Si por algún motivo hubiera escrito mal su dirección de correo electrónico, se le da una segunda oportunidad para que escriba una. Sólo en ese caso deberá introducir de nuevo su dirección y contraseña. Si la primera dirección es correcta, limítese a esperar que le llegue el mensaje de activación y no desespere, ya que a veces la espera puede demorarse hasta 24 horas.

Una vez haya recibido su mensaje de Fotolog y haya hecho clic sobre su enlace, éste le llevara a la siguiente pantalla.

Figura 9.4. Registro (que no "registración") completo.

Ya desde esta misma página podrá empezar a subir su primera foto o a modificar el aspecto predeterminado de su página personal.

Recuerde que Fotolog no es Picasa ni Flickr, aquí debe subir sólo una foto para cada día de su calendario. En principio puede subir cuantas fotos quiera, pero nunca dos con la misma fecha, así que piénsese muy bien cuál es la imagen que mejor define ese día. Una vez la tenga pensada, búsquela en su ordenador haciendo clic sobre **Examinar** y luego, simplemente, haga clic sobre ella.

Seguidamente póngale un título y, si lo desea, una descripción. Ojo, volvemos a lo de Picasa y Flickr: aquí lo de menos es contar aspectos sobre la foto en sí, como su composición, velocidad de obturador, la belleza de su paisaje o modelo o lo bonito de su contraluz, disipando colores ocres por doquier. Aquí lo importante es contar una historia, su historia, ésa que hará que sus amigos se lo pasen en grande leyéndola y anime a otros a hacerse amigos suyos. Recuerde que esto es una red social, así que ánimo y échele imaginación.

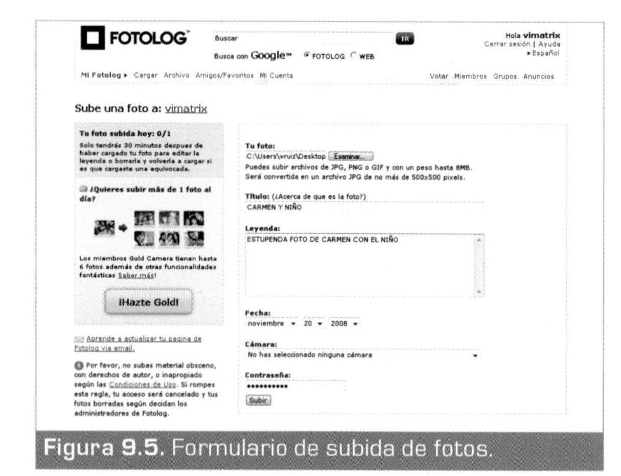

Figura 9.5. Formulario de subida de fotos.

No olvide indicar la fecha exacta con la que quiere que aparezca su foto. Esto es importante, como ya le hemos dicho, no sólo porque usted sólo podrá subir una foto por día (fecha exacta), sino porque ésta se mostrará sobre un calendario, colocada en su respectivo día.

Ahora deberá introducir su contraseña y esperar a que la foto sea cargada en el servidor.

El siguiente paso diría usted sería el de ir subiendo su siguiente foto y esperar a que alguien se acerque por ahí a apreciar su arte. ¡Pues no! Olvídese. Esto es una red social y si usted quiere hacer amigos deberá currárselo. Para ello nada como empezar a cuidar y mimar a los suyos propios con un más que puro sentimiento de egoísmo, ya que seguro que estos a su vez tienen amigos que tienen amigos que tienen amigos y con el tiempo todos juntos podrán entonar eso de "los amigos de mis amigos son mis amigos". Comience a teclear las direcciones de correo electrónico de sus amigos y conocidos separándolas por punto y coma. Puede personalizar sus mensaje enviándoles un texto junto a la invitación.

Finalmente haga clic sobre el botón **Enviar** (véase la figura 9.6). Hecho esto, ya puede ir a su página personal de Fotolog.

Seguramente el aspecto de su página personal le recuerde a alguna ya vista, porque el caso es que muchos sitios han copiado a Fotolog.com de forma casi idéntica.

La estructura que formará el esqueleto de nuestra página personal en Fotolog consiste en que la foto más reciente se mostrará en la parte central de la ventana y en un tamaño aproximado de 12×8 cm. Debajo de esta encontrará los comentarios en forma de libro de visitas.

Figura 9.6. La pantalla de Fotolog para enviar correos a los amigos.

En la parte izquierda de la pantalla se muestran 5 ó 6 miniaturas de las fotos subidas con anterioridad y en la parte derecha de la pantalla, las miniaturas de la última foto subida en los fotologs de nuestros amigos. Finalmente, debajo de estas miniaturas, se muestran los enlaces de nuestros fotologs favoritos (véase la figura 9.7).

Figura 9.7. Aspecto de la foto, una vez subida.

Ahora todo el que entre a nuestra página personal podrá ir dejando su comentario respecto a la foto que desee. Y a su vez, cada nuevo comentario podrá ir dejando comentarios sobre la imagen o sobre el propio comentario anterior (figura 9.8).

Si hacemos clic sobre **Más**, accederemos al calendario de nuestra página , en el que podremos ver cada una de las fotos que corresponden a un día en concreto. Aquí no hay opción de subir una foto de forma privada, recuerde que aquí de lo que se trata es de ver y sobre todo de ser visto, de ser el que más visitas logre y, por lo tanto, más amigos tenga. La web te premia en función del número de visitas, promocionando las fotos más vistas (figura 9.9).

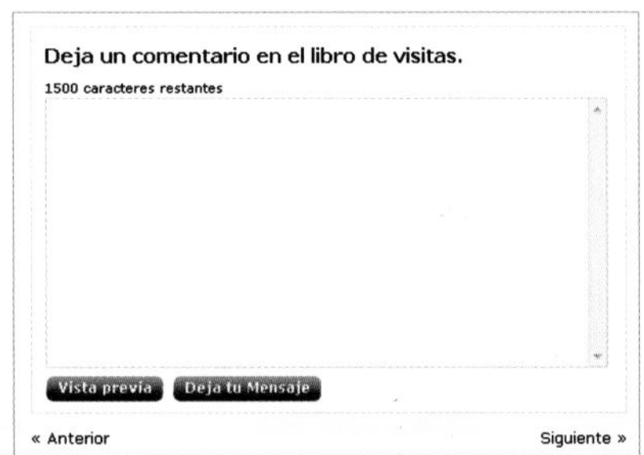

Figura 9.8. Nuestros amigos pueden dejar mensajes en el "Libro de visitas".

Por último nos ofrece la posibilidad de inscribirnos a las RSS, de forma que se nos comunica cualquier cambio que se produzca en la página para que estemos informados de las últimas novedades y la visitemos. Las RSS son noticias que se actualizan por Internet y que podemos ver desde el navegador siempre que hayamos escogido una página de inicio que lo permita, o desde el escritorio de Windows Vista.

Figura 9.9. Aspecto del calendario.

CAPÍTULO
10
VÍDEO EN DIRECTO: STREAMING

Mucho hemos discutido si debíamos introducir un capítulo sobre el vídeo en directo o no en un libro como éste. Sí vamos más allá de lo que realmente pretende esta colección o simplemente de lo que pretendíamos nosotros a la hora de mostrar todas y cada una de las posibilidades que nos ofrece Internet para compartir nuestras imágenes, pero, entre nosotros, no nos hemos podido controlar. No sabemos si en su día a día usted necesitará alguna vez tirar de lo que en este capítulo vamos a mostrarle, pero no nos negará que es un rato interesante y además, usted puede quedar muy bien sacándolo como tema de sobremesa.

El porqué hemos decidido que vaya directamente a un apéndice es también por las mismas razones que nos llevaron a terminar incluyéndolo en el libro. Es decir, puede que nunca tenga que llegar a utilizarlo mas allá de una videoconferencia y para ello ya hay aplicaciones estupendas y muy sencillas, como vimos en el capítulo del Messenger, pero es estupendo que el libro pueda aportar algo más que simples pasos mecánicos para realizar tareas con nuestro ordenador, de ahí que de tanto en tanto nos pongamos pesados contando historias y batallitas.

A lo largo de todo el libro hemos aprendido (esperamos) cómo hacer llegar a nuestros amigos y familiares todas nuestras imágenes, ya fuera en formatos rígidos como los CD y DVD, las PSP o iPOD o gracias a Internet de forma que pudiéramos sortear cualquier barrera física o temporal. Pero el caso es que Internet pone hoy en día en nuestra mano algo que hasta hace nada era completamente impensable: el transmitir imágenes en directo como si de un canal de televisión se tratase y además nosotros, gracias a Internet, tenemos mas fácil y a nuestro alcance la retransmisión "vía satélite" que cualquier otro canal televisivo (entiéndase lo de vía satélite como una retransmisión de un país a otro o de un continente a otro. A no ser que usted tenga Internet por satélite su retransmisión no se elevará más allá de un metro del suelo, pero el efecto será el mismo).

Seguro que algún que otro familiar, le ha reprochado, al ver su vídeo de boda, el no haber podido estar ahí justo en ese momento. Siéntase todo un príncipe, retransmitiendo su boda en directo para que puedan verla en el mismísimo momento en el que se condena con un "Sí quiero". Tan sólo tendrá que seguir las indicaciones de este capítulo (figura 10.1).

¿Qué es Streaming?

El palabro anglosajón *streaming,* según la definición más técnica que hemos encontrado por Internet, es algo así como una alternativa bajo demanda para la distribución de contenido multimedia a través de la Red. Es decir, *streaming* es el término que se utiliza cuando se trata de ver u oír un archivo directamente en la propia página web sin necesidad de tener que descargárnoslo antes al ordenador. Cuando visualiza un vídeo de YouTube, lo que hace el servidor web es un *streaming* del material audiovisual hasta su PC.

Figura 10.1. Retransmisión en directo de la boda de los príncipes por RTVE.

En este ejemplo se ve cómo *streaming* no es lo mismo que "en directo". Se trata tan sólo de la tecnología que le sirve un vídeo para que pueda verlo a medida que llega. Si el *streaming* es de una cámara a su PC, será en directo, pero si se hace *streaming* de un archivo de vídeo, será diferido. Normalmente, y dado que las unidades móviles de televisión envían sus imágenes mediante esta técnica, tiende a reservarse el uso de *streaming* para el directo, que es uso que le daremos en este apéndice.

Antes de meternos de lleno en el tema, como siempre, hagamos un poco de historia. Hasta que la tecnología *streaming* no hizo aparición en abril de 1995 con el lanzamiento de RealAudio 1.0, la reproducción de contenido multimedia a través de Internet implicaba necesariamente tener que descargar completamente el archivo contenedor al disco duro local. Como los archivos de audio y especialmente los de vídeo tienden a ser enormes, su descarga y acceso como paquetes completos se vuelve una operación muy lenta. Sin embargo, con la tecnología del *streaming* un archivo puede ser descargado y reproducido al mismo tiempo, con lo que el tiempo de espera es mínimo.

La tecnología

Para poder proporcionar un acceso claro, continuo y sin interrupciones, el *streaming* se apoya en las siguientes tecnologías:

- **Códec:** Son programas residentes en el ordenador que comprimen o descomprimen el vídeo. Lo tienen tanto el servidor, para comprimir el vídeo, como el PC receptor, que lo descomprime. De esta forma, la cantidad de información que hay que enviar a través de la red se reduce.

- **Protocolos Ligeros:** UDP y RTSP (los protocolos empleados por algunas tecnologías de *streaming*) hacen que las entregas de paquetes de datos desde el servidor a quien ve la página se hagan con una velocidad mucho mayor de la que se obtiene por TCP y HTTP(este último es, por ejemplo, el protocolo que se usa para enviar las páginas web a su navegador). La diferencia es que TCP y HTTP se aseguran de que el mensaje enviado se recibe completo y, si detectan que se pierde un "paquete", reintentan el envío. UDP, por el contrario, no comprueba la recepción: si un paquete se pierde notará un ligerísimo "salto" en el vídeo, pero podrá seguir disfrutándolo sin esperas.
- **Precarga:** Las entregas de datos desde el servidor a quien ve la página pueden estar sujetas a demoras conocidas como *Lag*, (retraso, en inglés). Los reproductores multimedia precargan, o almacenan en el memoria los datos que van recibiendo para así disponer de una reserva de datos si, por cualquier motivo, una serie de imágenes sufren un ligero retraso. Esto es similar a lo que ocurre en un reproductor de CD´s portátil, que evita los saltos bruscos y los silencios ocasionados por interrupciones en la lectura debidos a vibraciones o traqueteos almacenando los datos antes de que el usuario tenga acceso a ellos.
- **Red de distribución de contenido:** Si un determinado contenido comienza a atraer una cantidad de usuarios mayor a su capacidad del ancho de banda, estos usuarios sufrirán cortes o *Lag*. Finalmente, se llega a un punto en que la calidad del stream es malísima. Ofreciendo soluciones, surgen empresas y organizaciones que se encargan de proveer ancho de banda exclusivamente para *streaming* y de apoyar y desarrollar estos servicios.

Usos

Los usos mas habituales del *streaming* hoy por hoy son los de Radio por Internet, Televisión por Internet y también, fuera ya del ámbito de este libro, el *Virtual Network Computing*, procesos de cálculo que corren en múltiples ordenadores interconectados por Internet.

Por diversas razones, principalmente la protección de la Propiedad Intelectual, la mayoría de los productos mediante los que se accede a la tecnología *streaming* han sido concebidos y diseñados para desechar los datos recién visualizados, es decir, que usted o yo, una vez consumido el producto, no podamos realizar una copia del mismo. Sin embargo, siempre hay quien ya ha desarrollado software que permite a los usuarios capturar y guardar los streams en archivos. Uno de los primeros y más populares tenía el curioso nombre de TINRAM, acrónimo de *This Is Not Real AnyMore* (esto ya no es "directo" nunca más). Éste y otros programas de grabación de *streaming* permiten guardar el vídeo en el PC sin siquiera tener que verlo.

NOTA

Una forma alternativa, más artesanal, de guardar el vídeo es visualizarlo y, nada más terminar, acceder a la carpeta de archivos temporales de Internet de nuestro PC. El archivo más grande y más reciente de cuantos allí se encuentren será el vídeo buscado.
Obviamente la tecnología evoluciona y esto no será posible en todos los casos, pero es fácil y no pierde nada por intentarlo.

Retransmitir un evento en directo

Su boda, una conferencia a sus cientos de empleados dispersos por el mundo, la celebración litúrgica principal de su secta... Cualquier evento en el que esté presente una cámara y una línea ADSL son suficientes para convertirle en productor de televisión.

Además de la cámara y la línea necesitará software que le permita enviar las imágenes. La alternativa gratuita más fácil de utilizar es, a nuestro entender, Windows Media Encoder, aplicación que ya utilizamos en el capítulo 2 y que se puede descargar gratuitamente de la web de Microsoft como ya indicamos.

Paso 1: Preparación de la escena.

La mayor dificultad de una retransmisión en directo no es la tecnología para retransmitir, aunque le parezca lo contrario, sino la propia grabación. Preparar la cámara, la iluminación, el encuadre... Todo eso le llevará más tiempo y trabajo que poner en marcha la conexión a Internet.

Comience por elegir una buena cámara. En principio bastaría con una webcam, pero los resultados distarán, en la mayoría de los casos, de ser buenos. Una mejor elección, si dispone de ella, es una cámara de vídeo con *streaming* USB. En modelos recientes no es tan corriente encontrar esta característica, pero existen un buen puñado de modelos de cámaras miniDV de hace unos años que permitían conectarlas al ordenador para utilizarlas como Webcam. Utilice una de estas e instale los drivers que vienen en el CD que acompaña a la propia cámara.

A continuación escoja el encuadre. Disponga un trípode y fije la cámara. Un error común es el contraluz. Si hay una ventana al fondo, los rostros aparecerán ennegrecidos. Sitúe a una persona en el lugar adecuado y compruebe que recibe bastante luz.

Para iluminar a un sujeto aplique la regla del triángulo: procure que reciba una luz por la izquierda, otra por la derecha y la tercera por detrás para iluminarlo no a él, sino al fondo. Iluminar el fondo le da profundidad a la imagen. Esto es lo más sencillo, la iluminación es una de las partes más complicadas de la grabación y, en según qué casos, le supondrá un verdadero dolor de cabeza. Pero el resultado lo agradece.

El trípode es también un elemento fundamental para dar un aire profesional a su retransmisión. Idealmente, debería ser un trípode de vídeo y no de fotografía, en especial si va a dar algún movimiento a la cámara, como una panorámica. Estos trípodes permiten movimientos suaves y llevan incluso un nivel de burbuja que le permitirá garantizar su horizontalidad.

Por último, desactive el enfoque automático y enfoque manualmente la escena. Acerque al máximo con el zoom el objeto principal y enfoque así, para luego volver el zoom a su posición adecuada. Algunas cámaras llevan incluso una opción para magnificar el zoom en el visor, que le ayudará en esta tarea. El motivo de hacer enfoque manual es para evitar que, por ejemplo, alguien se cruce por delante de la escena y perdamos el enfoque durante unos segundos. No tiene mayor importancia, pero son detalles que debería cuidar.

Durante la grabación puede modificar el encuadre dependiendo de la acción. Busque un buen encuadre, como si de hacer una fotografía se tratase. Sin ánimo de explicar lo que sería el lenguaje audiovisual, para elegir el encuadre tenga en cuenta:

- Deje "respirar" el plano. Un plano general en el que aparece, por ejemplo, un grupo de gente, necesita mayor duración que un primer plano de alguien que enciende un cigarrillo. El espectador necesita más tiempo para verlo porque contiene mayor información y, por el contrario, un plano corto mantenido mucho tiempo se hace pesado.
- Utilizar el zoom equivale a cambiar de plano y no debe hacerlo sin motivo, porque confundiría al espectador. Si la acción se desplaza fuera del plano, los "actores" se acercan o alejan... Entonces está bien. Pero mover el zoom sólo por intentar ganar "dinamismo" es un error.
- Cuide el "aire" general del encuadre, es decir, el espacio vacío. No coloque el objeto principal en el centro de la imagen. Componga el plano teniendo en cuenta las miradas de las personas que aparecen y, por ejemplo, si la persona mira a la derecha, componga el plano con la persona a la izquierda y el aire a la derecha.

La lista de consejos podría ser interminable pero no se agobie, todo esto es bastante "natural" y usted ya lo domina, a base de haber visto mucho cine y televisión, aunque quizás nunca se haya fijado en los detalles.

Paso 2: Comprobar su dirección IP

Si sus amigos tienen que visualizar su vídeo, ¿qué deben escribir en su navegador? Muy fácil: su dirección IP. Cada PC del mundo conectado a Internet tiene una dirección IP que es su identificación y es única. Podría tener algún problema si su PC forma parte de una red local, compartiendo router con otros muchos, pues lo que queremos es que nuestro PC actúe como servidor y el router podría no estar configurado para este servicio. En su casa, o si cuenta con la ayuda de un informático, no tendrá problema.

Para averiguar cuál es la dirección IP de su ordenador, abra el navegador y teclee la dirección web http://checkip.dyndns.com/. El sistema le devolverá una página muy sencillita que la que aparece su dirección IP actual.

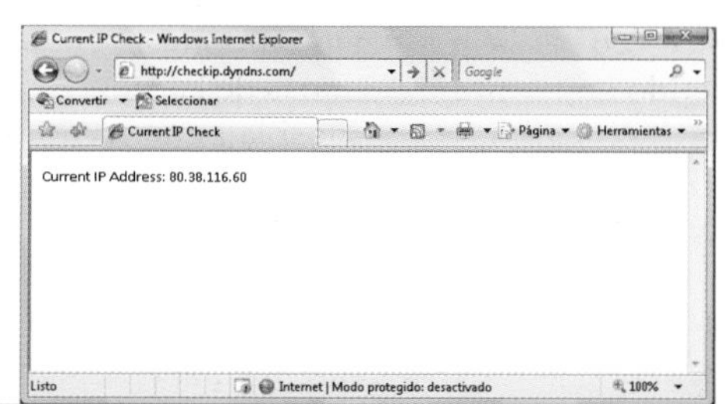

Figura 10.2. Comprobando la dirección IP de nuestro ordenador.

Una dirección IP son cuatro números, cada uno de ellos entre 0 y 255, separados por un punto. Su router tiene una dirección IP que, salvo que lo haya contratado expresamente con el proveedor, será dinámica y podrá cambiar de vez en cuando. Normalmente no cambia más que cuando apaga el router y lo vuelve a encender (y ni así, muchas veces), por lo que tendrá que comprobar su dirección unos minutos antes de comenzar la emisión.

Cuando sus amigos deseen ver el "programa", sólo tendrán que abrir el navegador y teclear la dirección http://80.38.116.60/ o cualquier otra que sea la dirección IP de su máquina.

Como esto es muy poco práctico, existen formas de que pueda dar a sus amigos una dirección algo más permanente. La propia web www.dyndns.com le ofrece un servicio de direccionamiento dinámico gratuito.

Paso 3: Arrancar el servidor de streaming

Cuando ya esté preparado, inicie el programa Windows Media Encoder. Nada más arrancar le presentará un asistente en el que una de las opciones es, ni más ni menos, que retransmitir un evento en directo. Elíjala (figura 10.3).

A continuación se nos pide que identifiquemos la cámara, el micrófono y el sistema de retransmisión utiizado. Si ha utilizado una cámara miniDV con capacidad para *streaming*, podrá utilizarla también como micrófono. Dependiendo del caso, también puede encontrar útil un micrófono de solapa o de mano para la persona que habla. En este caso, debería configurarlo y ajustar su volumen directamente en Windows. El proceso puede ser algo complejo y no entraremos a presentarlo en detalle (figura 10.4).

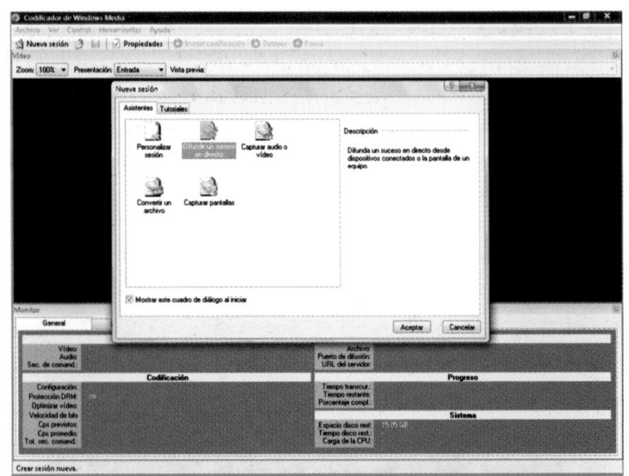

Figura 10.3. El asistente de inicio de sesión de Windows Media Encoder.

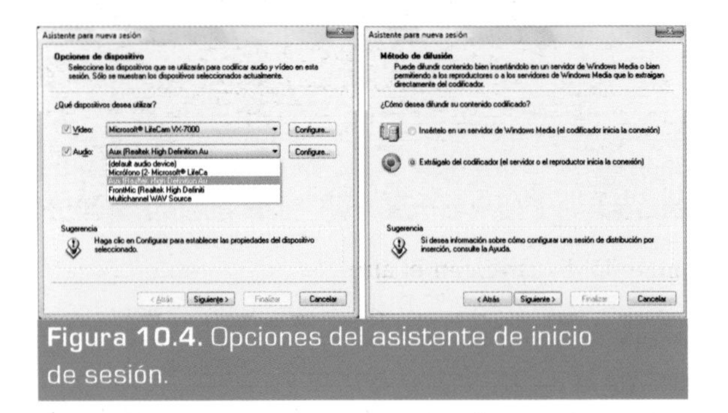

Figura 10.4. Opciones del asistente de inicio de sesión.

El método de retransmisión que utilizaremos será directo, sin pasar por un servidor de *streaming*. Un servidor le daría la capacidad de llegar a muchas más personas simultáneamente, pero habría que contratarlo. Si no lo usamos, el ancho de banda de subida de nuestro ADSL impondrá la limitación del número de conexiones o su calidad, pero para eventos familiares puede ser más que suficiente.

El siguiente paso es configurar la conexión. Elija un puerto por el que conectarse a Internet para subir el vídeo. El programa propone por defecto el 8080, que es el puerto habitual para las páginas web, pero puede elegir otro mediante el botón **Buscar puerto libre**. Elegido el puerto, el asistente le informa sobre qué deben escribir sus espectadores en su navegador para ver el vídeo, tanto los que están en su misma red local, como los que están conectados desde Internet.

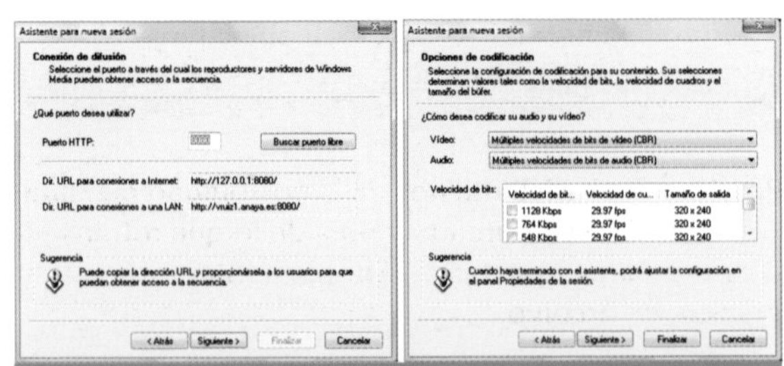

Figura 10.5. Más opciones para configurar la sesión.

No se confíe con la dirección IP porque si está en una red local, puede que la dirección que se muestre sea la de la propia red. Compruébela con el servicio de **dyndns**.

El siguiente paso es elegir una calidad para la retransmisión. Deje la que viene por defecto o, si se siente con confianza, busque la que mejor se adapte a su conexión ADSL.

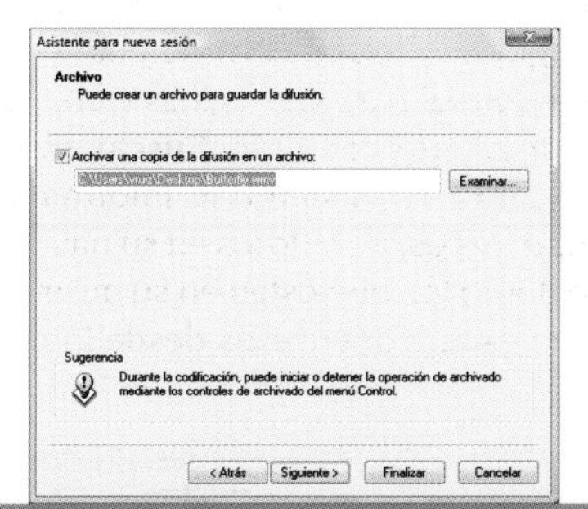

Figura 10.6. Opción para archivar una copia.

Por último, el asistente nos da la posibilidad de almacenar en el disco duro una copia de lo que retransmitimos, para uso posterior. Simplemente, indique un nombre de archivo.

Hecho todo esto, volvemos a la pantalla principal, donde sólo nos resta hacer clic sobre el botón **Iniciar Codificación** y, desde ese momento, lo que vea nuestra cámara estará accesible desde internet. Lo único que tendrán que tener instalados sus amigos es Windows Media Player, que es el reproductor que viene incluido en el sistema operativo, por lo que no le faltará a ninguno.

Figura 10.7. En plena retransmisión del bautizo de Andrea.

¡Et voilà! Estamos en el aire.

Pueden surgirle problemas con la configuración de sus equipos de red, el router y demás. Si fuera el caso, comience por desactivar el firewall de Windows y sólo con esto funcionará en el 99% de los casos. Si continuasen los problemas, debe comprobar que el router que utiliza tiene abierto el puerto que eligió al configurar la retransmisión. Esto excede del ámbito del libro y sólo podemos recomendarle que haga una prueba un par de días antes, lo que le dará margen para buscar entre sus amigos al informático que se lo resuelva.

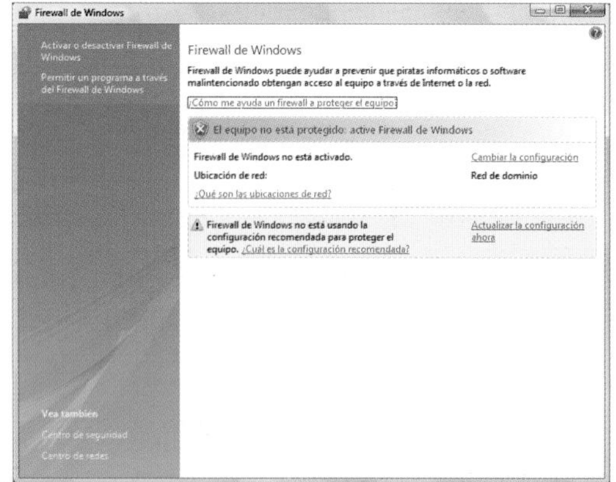

Figura 10.8. Ventana del Firewall de Windows donde podrá activarlo o desactivarlo.

Despedida

Hasta aquí todo lo que se nos ha ocurrido contarle sobre cómo compartir sus imágenes. Engancha, pero no olvide que lo más importante en un blog o un álbum es tener un buen material con el que llenarlo.

Deje este libro en la mesilla de noche, descanse, madrugue y salga con su cámara a la calle, dispuesto a comerse el mundo...

Índice alfabético

Símbolos

A

B

C

D

E

F

G

H

I

J

K

L

M

N

O

P

Q

R

S

T

U

V

W

X

Y

Z